LEÇONS DE VIE

Déjà publiés par Elisabeth Kübler-Ross :

Une lettre à un enfant devant la mort, Tricorne, 1992.
La Mort et l'enfant, Rocher, 1994.
La Mort : dernière étape de la croissance, Rocher, 1994.
La Mort, porte de la vie, Rocher, 1995.
La Mort est une question vitale, Albin Michel, 1996.
Vivre avec la mort et les mourants, Rocher, 1997.
Mémoires de vie, mémoires d'éternité, Lattès, 1998.
Accueillir la mort, Rocher, 1998.
Avant de se dire au revoir, Presses du Châtelet, 1999.
La Mort est un nouveau soleil, Rocher, 2000.

www.editions-jclattes.fr

Elisabeth Kübler-Ross et David Kessler

LEÇONS DE VIE

Deux experts de la mort et des phases terminales nous révèlent les mystères de la vie

Traduit de l'américain par Loïc Cohen

JC Lattès

Titre de l'édition originale
LIFE LESSONS
publiée par Scribner, New York

Pour Sylvia Anna, ma première petite-fille,
le cadeau de ma fille Barbara
Elisabeth

Pour mes fils Richard et David
David

UN MESSAGE D'ELISABETH

Chacun d'entre nous a des leçons à assimiler au cours de son existence. Cela est particulièrement vrai pour les patients en phase terminale. Alors qu'il est généralement trop tard pour appliquer ces enseignements, ceux-ci apprennent beaucoup durant ces ultimes moments.

Après m'être installée dans le désert de l'Arizona en 1995, j'ai été victime, le jour de la fête des Mères, d'une attaque cérébrale qui m'a laissée paralysée. J'ai passé les quelques années qui ont suivi au seuil de la mort. Parfois, il me semblait qu'il ne me restait plus que quelques semaines à vivre. J'ai de nombreuses fois été déçue que la mort ne vienne pas, car je me sentais prête à l'accueillir. Mais si je ne suis pas morte, c'est que j'avais encore des leçons à tirer de la vie, les dernières. Celles qui concernent des vérités essentielles, les secrets de la vie elle-même. J'ai voulu écrire un autre livre, non pas sur la mort et les mourants, mais sur la vie elle-même.

Chacun de nous a un Gandhi et un Hitler en lui. Il s'agit bien sûr d'une image. Le Gandhi s'intéresse au meilleur de nous-même – ce qui est compassion –, tandis que le Hitler se rapporte au pire – nos travers et nos bassesses.

C'est en nous confrontant à nos faiblesses, en nous débarrassant de notre négativité, en découvrant le meilleur de nous-même et d'autrui que nous pouvons apprendre de la vie et de ses difficultés. Nous sommes ici-bas pour nous guérir les uns les autres, pour nous guérir nous-même, pour guérir notre esprit, notre âme.

Assimiler ces leçons, c'est accomplir le travail inachevé – celui qui concerne la vie et la mort, nos préoccupations les plus profondes : « C'est vrai, j'ai eu une vie agréable, mais ai-je vraiment vécu ne serait-ce qu'une journée ? » Nombreux sont ceux qui ont existé sans avoir réellement vécu et consacré une grande part de leur énergie à ignorer leur travail inachevé.

Si ce travail reste un problème important de l'existence, il le demeure tout autant à l'approche de la mort. La plupart des gens meurent en laissant derrière eux une grande quantité de travail inachevé. Il y a tant de leçons à tirer de la vie qu'il est impossible de les assimiler toutes au cours d'une seule existence. Toutefois, plus nous intégrons de leçons, moins il reste de travail à achever, et plus notre vie se révèle riche et authentique.

Peu importe alors le moment de notre mort puisque nous pouvons dire : « Mon Dieu, j'ai vraiment vécu ! »

UN MESSAGE DE DAVID

J'ai passé beaucoup de temps avec des malades en phase terminale. Ce travail a été enrichissant et m'a ouvert de nouveaux horizons. Je peux affirmer que je lui dois la plus grande partie de mon développement psychologique, émotionnel et spirituel. Toutefois, même si j'éprouve une profonde reconnaissance envers les patients avec lesquels j'ai travaillé, je ne leur dois pas mes premières leçons. Celles-ci remontent à l'époque de la mort de ma mère et elles se poursuivent encore aujourd'hui, chaque fois que disparaît un être cher à mon cœur.

Ces dernières années, je m'attendais à tout moment à dire au revoir à ma très chère amie Elisabeth, mon maître. J'ai passé beaucoup de temps avec elle, et c'est grâce à elle que j'ai pu apprendre mes ultimes leçons. Alors qu'elle m'avait tant enseigné sur les soins palliatifs, elle était maintenant confrontée à sa propre fin. Elle me faisait part de ses sentiments – de colère la plupart du temps – et de sa vision de la vie. Elle achevait son dernier ouvrage : *Mémoires de vie, mémoire d'éternité* [1], tandis que j'écrivais

---

1. Éditions J.C. Lattès, 1998.

11

mon premier : *The Needs of the Dying*. Malgré l'épreuve qu'elle traversait, l'aide qu'elle m'a apportée reste inestimable, qu'il s'agisse de conseils sur la publication de mon livre, sur mes patients ou tout simplement sur la vie.

À la fin de chacune de mes visites, c'était un déchirement de la quitter. Nous nous disions au revoir, tous deux persuadés que nous ne nous reverrions plus. Je sortais en larmes de chez elle. L'idée de perdre quelqu'un qui avait tant compté pour moi m'était insupportable. Elisabeth affirmait être prête à partir, mais son état s'améliora peu à peu. Manifestement, elle n'en avait pas fini avec la vie.

Autrefois, les communautés disposaient de lieux de rencontre où enfants et adultes écoutaient les anciens raconter leur histoire, leurs difficultés et les enseignements qu'ils en tiraient au soir de leur vie. On savait alors que les plus grandes leçons découlent parfois des plus vives souffrances. Et on savait qu'il était important pour tous, mourants comme vivants, que ces vérités soient transmises. Ainsi, l'on était sûr de conserver le meilleur de ceux qui étaient partis. À travers ce livre, j'espère moi aussi pouvoir transmettre certaines de ces leçons de vie.

Des nombreuses expériences qui jalonnent le long et parfois étrange voyage de l'existence, la découverte de soi en reste la principale. Car les difficultés nous apprennent ce que sont véritablement l'amour et la relation aux autres. Nous trouvons le courage de surmonter nos colères, nos larmes et nos peurs. La vie demeure peut-être un véritable mystère, mais on nous a donné tous les moyens de vivre et de trouver le bonheur – non pas une vie parfaite comme celle des romans, mais une vie authentique et chargée de sens.

J'ai eu l'honneur de rencontrer mère Teresa quelques mois avant sa disparition. Elle me confia alors que ce qu'elle avait accompli de plus important l'avait été avec les mourants, car pour elle la vie était infiniment précieuse. « Une vie est un accomplissement, disait-elle, et la mort est le terme de cet accomplissement. » Généralement, nous ne concevons ni la mort, ni la vie comme un accomplissement. Pourtant, l'une et l'autre le sont pareillement.

Les mourants ont toujours été de grands enseignants, car, au terme de son existence, l'être humain a une vision plus lucide de la vie. En nous livrant le fruit de leurs expériences, ils nous font comprendre à quel point celle-ci est précieuse. Nous découvrons en eux le héros, cet aspect de nous-même qui *transcende* tout ce à quoi nous avons été confrontés et qui nous *révèle* tout ce que nous sommes capables de *faire et d'être* : pas seulement d'être vivants, mais aussi de nous *sentir* vivants.

NOTE À L'ATTENTION DU LECTEUR

Ce livre est le résultat d'une collaboration étroite entre Elisabeth Kübler-Ross et David Kessler. Les cas concrets et les expériences personnelles sont tirés de leurs conférences, ateliers et discussions avec les patients et les familles. Parfois, ils concernent David, parfois Elisabeth, et parfois les deux. Pour faciliter la lecture, ils utilisent le « nous », sauf quand les cas cités sont précédés par EKR, pour Elisabeth Kübler-Ross, ou par DK, pour David Kessler.

1

LA LEÇON DE L'AUTHENTICITÉ

Stephanie, une femme d'une quarantaine d'années, nous confie ce récit au cours d'une conférence :

« Un vendredi après-midi, il y a de cela plusieurs années, je me rendais de Los Angeles à Palm Springs. Ce n'était pas le meilleur moment pour emprunter l'autoroute, mais j'avais hâte de passer un week-end de détente dans le désert avec des amis. Dans la banlieue de Los Angeles, je me suis retrouvée bloquée derrière une longue file de véhicules. En regardant dans mon rétroviseur, je me suis aperçue que la voiture qui me suivait fonçait sur moi à toute vitesse. J'ai compris que le conducteur n'avait pas vu l'embouteillage et qu'il allait me percuter violemment. Étant donné sa vitesse, j'ai senti que j'étais en grand danger, que je pouvais mourir.

» Je constatai que mes mains étaient agrippées au volant – je ne l'avais pas fait consciemment, c'était depuis toujours un de mes gestes naturels. Je décidai alors de ne plus vivre ainsi, dans cet état de tension, et de ne pas mourir ainsi. Je fermai les yeux, respirai un grand coup, et laissai pendre mes mains. Je m'abandonnai à la vie, tout comme à la mort. Puis je fus heurtée avec une violence inouïe.

Il y eut ensuite un grand silence et j'ouvris les yeux. J'étais indemne. La voiture devant moi était en miettes, comme celle qui se trouvait derrière moi. La mienne ressemblait à un accordéon.

» La police me dit que j'avais eu de la chance d'être détendue, car la tension musculaire accroît la probabilité de blessures graves. Je suis partie en ayant le sentiment d'avoir reçu un cadeau. J'étais saine et sauve, bien sûr, mais, surtout, j'avais compris que la vie est un miracle et que l'on m'avait donné une occasion de changer. J'avais agrippé la vie d'une poigne de fer, mais je réalisais à présent que je pouvais la tenir dans une main ouverte, comme s'il s'agissait d'une plume délicatement posée sur ma paume. J'ai compris que si j'avais pu accepter la mort, je pouvais à présent profiter pleinement de la vie. À ce moment-là, je me suis sentie, plus que jamais, en phase avec moi-même. »

Comme tant d'autres personnes qui ont vu la mort en face, Stephanie a découvert une vérité, non pas sur la mort, mais sur la vie elle-même.

Au plus profond de nous-même, nous savons que se trouve notre être prédestiné. Lorsque nous devenons cet être, nous en avons pleinement conscience. L'inverse est également vrai : nous savons quand nous faisons fausse route, quand nous ne sommes plus celui que nous devrions être.

Consciemment ou non, nous sommes tous à la recherche de réponses, nous essayons tous d'assimiler les leçons de la vie. Nous faisons face à nos peurs et à notre sentiment de culpabilité. Nous sommes en quête de sens, d'amour et de pouvoir. Nous nous interrogeons sur la peur, le deuil et le temps qui passe. Nous voulons découvrir qui nous sommes et connaître un bonheur authentique. Parfois, nous tentons de trouver tout cela auprès de ceux qui nous sont chers, ou dans la religion. Trop souvent, cependant, nous croyons que l'argent, le statut social, le travail « idéal », etc., nous procureront ce bonheur parfait. Mais, tôt ou tard, nous comprenons que tout cela ne nous apporte que des déceptions. En s'engageant dans ces impasses, on est inéluctablement envahi par un sentiment de vide, par l'impression que la vie est dépourvue de sens, que l'amour et le bonheur sont illusoires.

Certains trouvent un sens à leur existence à travers l'étude, la recherche spirituelle ou l'art, d'autres à travers des épreuves douloureuses. Confrontés à une maladie grave – la leur ou celle d'un proche –, ou bien victimes d'un tremblement de terre ou de quelque autre catastrophe, ils ont dans tous les cas vu la mort de près. Ceux-là ont dû réfléchir, dans les ténèbres du désespoir, à ce qu'elles souhaitaient faire du temps qu'il leur restait. Ils ont alors lâché prise, et leur vision de la vie en a été bouleversée pour toujours. Ces leçons ne sont pas toutes agréables, mais chacun s'aperçoit qu'elles enrichissent la trame de sa vie. Aussi, pourquoi attendre pour découvrir ces vérités essentielles ?

Quels sont ces enseignements que la vie nous demande d'assimiler ? En travaillant avec les mourants et les bien-portants, on se rend compte que la plupart des gens ont des difficultés avec les mêmes leçons : celles qui concernent la peur, la culpabilité, la colère, le pardon, l'abandon, le temps, la patience, l'amour, la vie relation- nelle, le jeu, le deuil, le pouvoir, l'authenticité, et le bonheur.

Découvrir ces vérités essentielles, c'est en quelque

sorte atteindre la maturité. On ne devient pas du jour au lendemain plus heureux, plus riche ou plus fort, mais on comprend mieux le monde, et l'on est en paix avec soi-même. Assimiler ces leçons, ce n'est pas chercher à être parfait, mais découvrir le sens profond de l'existence. Un de nos patients a évoqué ce phénomène en ces termes : « Découvrir les imperfections de la vie me procure un immense plaisir. »

Si vous êtes sur terre, c'est pour recevoir les enseigne-ments qui vous concernent. Personne ne pourra vous dire en quoi ils consistent. Le trouver fait partie de votre par-cours personnel. Le chemin de la vie est jalonné d'em-bûches (ou leçons), en nombre variable mais jamais au-delà des capacités de chacun. Celui qui a besoin d'ap-prendre ce qu'est l'amour se mariera peut-être à plusieurs reprises, ou bien restera toujours seul. Celui qui doit éclair-cir la question de l'argent pourrait se retrouver complète-ment démuni, ou au contraire riche à millions.

Dans ce livre, nous parlerons de l'existence et décou-vrirons comment la vie est perçue à son terme. Nous constaterons que nous ne sommes pas seuls, que nous sommes tous reliés. Nous verrons comment l'amour se développe, comment la relation à autrui nous enrichit. Ainsi, nous pourrons peut-être réviser l'idée selon laquelle nous sommes faibles, en comprenant que nous détenons tout le pouvoir de l'univers en nous-même. Nous découvri-rons encore ce que masquent nos illusions, ce que sont le bonheur et la nature de notre être profond. Nous appren-drons enfin que l'on nous a donné les moyens de faire de notre vie une merveilleuse réussite.

Les patients en phase terminale avec lesquels nous avons travaillé ont réalisé que l'amour est la seule chose qui importe – la seule que nous pouvons posséder, conserver et emporter avec nous. Ces patients ont cessé de rechercher le bonheur « à l'extérieur ». Au contraire, ils ont appris à trouver richesse et sens dans ce qu'ils possèdent déjà, à en explorer davantage les possibilités. En d'autres termes, ils ont abattu les murs qui les empêchaient de profiter pleinement de leur existence. Ils ne vivent plus pour demain – dans l'attente de bonnes nouvelles concernant leur avenir professionnel, leur famille, ou leurs prochaines vacances – car ils ont découvert la richesse de chaque *aujourd'hui* en apprenant à écouter leur cœur.

La vie nous propose des leçons, des vérités universelles et fondamentales sur l'amour, la peur, le temps, le pouvoir, le deuil, le bonheur, la relation à l'autre et l'authenticité. Ce ne sont pas les complexités de l'existence qui nous rendent malheureux, c'est le fait d'ignorer sa vraie simplicité. La difficulté consiste à trouver le sens profond de ces vérités. Nombreux sont ceux qui pensent savoir ce qu'est l'amour. Pourtant, ils ne le trouvent pas épanouissant, parce qu'il ne s'agit pas du véritable amour. C'est un voile obscurci par la peur, par le sentiment d'insécurité et par de trop grandes attentes. Nous vivons ensemble sur terre, et pourtant, nous nous sentons seuls, faibles et désarçonnés.

Face à des circonstances dramatiques, nous pouvons grandir et donner le meilleur de nous-même. Dès lors que nous avons découvert le sens profond de ces vérités, nous sommes en mesure d'introduire le bonheur et la plénitude dans notre vie. Certes, elle n'est pas parfaite, mais authentique et profonde.

La première question qu'il faudrait se poser – sans doute la moins évidente – est la suivante : qui doit découvrir ces vérités ? *Qui suis-je ?*

Nous nous posons sans cesse cette question. Nous savons bien sûr qu'entre la naissance et la mort il y a une expérience que nous appelons la vie. Suis-je l'expérience ou l'expérimentateur ? Suis-je ce corps ? Suis-je mes défauts ? Suis-je cette maladie ? Suis-je une mère, un banquier, un employé ou un fan de sports ? Suis-je le produit de mon éducation ? Puis-je changer – tout en restant moi-même – ou suis-je immuable à tout jamais ?

Vous n'êtes rien de tout cela. Vous avez sans le moindre doute des défauts, mais ils ne sont pas vous. Vous souffrez peut-être d'une maladie, mais vous n'êtes pas un diagnostic. Si vous êtes riche, vous n'êtes pas une cote de solvabilité. Vous n'êtes pas votre *curriculum vitae*, votre quartier, vos diplômes, vos erreurs, votre corps, les rôles que vous jouez ou vos titres. Tout cela n'est pas vous parce que vous êtes susceptible de changer. Il existe une partie de vous-même qui est indéfinissable et immuable, que ni le temps, ni la maladie ni les circonstances ne peuvent modifier. Il existe en vous une authenticité innée que vous emporterez avec vous le jour de votre mort. Vous êtes simplement et pleinement *vous*.

Pour découvrir qui l'on est, il faut se débarrasser de tout ce qui n'est pas vraiment soi. Lorsqu'on observe les mourants, on ne voit plus ni les défauts, ni les erreurs, ni même les maladies. On ne voit plus que l'être humain qui, au terme de sa vie, devient plus authentique, plus honnête, plus lui-même – exactement comme un enfant.

Est-ce seulement au début et au terme de sa vie que l'on peut découvrir qui l'on est ? Faut-il absolument attendre des circonstances extrêmes pour découvrir des vérités ordinaires ? C'est cela, la leçon fondamentale de l'existence : découvrir son moi véritable et l'authenticité chez les autres.

Un jour, on demanda à Michel-Ange comment il avait réalisé sa *Pietà* ou son *David*. Il répondit qu'il se contentait d'imaginer la statue déjà présente dans le bloc de marbre, puis qu'il le taillait pour découvrir ce qui s'était toujours trouvé là. La merveilleuse œuvre d'art, déjà créée et existant de toute éternité, n'attendait que le moment d'être révélée. De même, le grand personnage qui se trouve d'ores et déjà en vous est prêt à apparaître en plein jour. Chacun de nous porte en lui les graines de la grandeur. Les « grands » n'ont rien de plus que les autres : ils se sont simplement débarrassés des nombreuses entraves qui les empêchaient d'exprimer le meilleur d'eux-mêmes.

Malheureusement, nos dons innés sont souvent enfouis sous le fatras des rôles de composition que nous jouons – parent, travailleur, notable, cynique, entraîneur, anticonformiste, brave garçon, rebelle, ou bon fils – qui peuvent ensevelir notre véritable moi.

Parfois, ces rôles nous sont imposés : « Tu dois travailler dur pour devenir médecin. » « Conduis-toi comme une fille bien élevée. » « Si vous voulez avoir une promotion dans notre entreprise, vous devrez faire preuve d'efficacité et d'assiduité. »

Parfois nous en assumons avec empressement certains parce qu'ils nous semblent utiles, enrichissants ou lucratifs : « Maman a toujours fait comme ça, alors, c'est probablement une bonne idée. » « Tous les chefs scouts ont le sens de la noblesse et du sacrifice, alors j'essaierai d'être comme eux. » « Je n'ai pas de copains à l'école. Les garçons qui ont du succès font du skateboard, alors, moi aussi, je veux en faire. »

L'adoption consciente ou non d'un rôle nouveau, au gré des circonstances, peut donner des résultats désastreux. Ainsi, cet homme et cette femme qui vivaient un bonheur sans nuage. Depuis qu'ils se sont mariés, rien ne va plus. Jusque-là, ils ne faisaient que vivre en couple. En se mariant, ils ont adopté les rôles qu'on leur avait inculqués – celui du « bon mari », ou de la « femme irréprochable ». À un niveau inconscient, ils « savaient » ce que devaient être ces rôles et, au lieu de rester eux-mêmes et de construire leur union à leur guise, ils se sont efforcés de se comporter en conséquence. Autre exemple, cet homme qui se dit extrêmement déçu depuis qu'il est père, alors qu'il a connu de grandes satisfactions en tant qu'oncle. Dans ce rôle, il avait naturellement établi des liens tendres et chaleureux avec ses neveux. Depuis qu'il est père, il se sent obligé d'assumer une fonction particulière qui l'empêche d'être authentiquement lui-même.

• EKR

Il n'est pas toujours facile de découvrir qui l'on est vraiment. Comme vous le savez peut-être, mes deux sœurs et moi sommes des triplées. À cette époque, les triplés étaient vêtus de la même façon, on leur donnait des jouets identiques, on leur proposait les mêmes activités... On ne nous considérait même pas comme des individus, mais comme un ensemble. À l'école, on ne tenait pas compte de nos capacités respectives et les professeurs nous attribuaient systématiquement la même note, car ils nous confondaient et ainsi, ils ne risquaient pas de se tromper. Parfois, lorsque j'étais assise sur les genoux de mon père, je savais qu'il ignorait laquelle des trois j'étais. Dans ces conditions, vous pouvez imaginer quel combat j'ai dû mener pour trouver ma propre identité. Nous savons à présent à quel point il est important de reconnaître le caractère unique de chaque personne. Aujourd'hui, les naissances multiples sont monnaie courante et les parents ont appris à ne pas traiter leurs enfants de la même façon.

Le fait d'être une triplée m'a très tôt poussée à rechercher l'authenticité. Je me suis toujours efforcée d'être moi-même, y compris lorsque cela était mal vu. J'ai toujours pensé que rien ne justifiait le mensonge et l'hypocrisie.

Tout au long de ma vie, j'ai ainsi développé une forte intuition pour reconnaître autour de moi ceux qui sont véritablement eux-mêmes. J'appelle cela renifler quelqu'un, non pas avec mon nez, bien sûr, mais avec tous mes sens. Ainsi, quand je rencontre quelqu'un, je peux lui envoyer un signal positif s'il s'agit d'un être vrai, ou, dans le cas contraire, un signal lui enjoignant de s'en aller. Travailler avec les mourants permet de développer un sens aigu de l'authenticité.

Si j'ai parfois eu du mal à déceler la fausseté, je l'ai, en d'autres circonstances, repérée de façon criante. Ainsi, par exemple, il est souvent arrivé que des personnes apparemment « très serviables » me conduisent sur le lieu d'un colloque et me poussent dans mon fauteuil roulant jusqu'au pied de la tribune. Mais ensuite, une fois la conférence achevée, il n'y avait plus personne pour me raccompagner. Ces gens s'étaient servis de moi pour flatter leur *ego*. S'il s'était agi de personnes vraiment serviables, elles se seraient inquiétées de mon retour.

Au cours de notre vie, nous interprétons de nombreux rôles (époux, père, mère, patron, gentil, révolté, etc.), mais il est rare que nous nous interrogions sur ce qu'ils cachent. Ceux-ci ne sont pas nécessairement négatifs et peuvent être utiles dans des situations délicates. Notre tâche

25

consiste à trouver ceux qui nous conviennent et à éliminer les autres. C'est un peu comme lorsqu'on épluche un oignon, et cela peut aussi susciter quelques larmes.

Il peut être pénible, par exemple, de reconnaître la négativité que l'on porte en soi, puis de trouver un moyen de l'extérioriser. Il existe en chacun de nous un potentiel qui va de Gandhi à Hitler. Rares sont ceux qui acceptent l'idée d'être un Hitler potentiel. On ne peut même pas l'imaginer. Pourtant, nous avons tous en nous une part négative. Le contester est extrêmement dangereux. Quand quelqu'un nie complètement les aspects obscurs de son être et se prétend totalement incapable d'une mauvaise action, même en pensée, il faut vraiment s'inquiéter. Admettre son potentiel de négativité est en effet essentiel, car on peut ainsi l'assumer et s'en libérer. Au fur et à mesure que nous découvrons les vérités fondamentales de la vie, nous pouvons nous détacher de rôles qui masquaient une profonde insatisfaction. Cela ne signifie pas que nous soyons intrinsèquement mauvais, mais que nous portons un masque sans en avoir conscience. Si vous pensiez être une sorte de saint, il est temps de vous débarrasser de cette image et de redevenir vous-même, parce qu'une telle représentation idyllique de soi est tout simplement une imposture. Souvent, il faut que le pendule oscille jusqu'à l'autre extrémité (vous devenez alors un mauvais coucheur) avant qu'il ne se stabilise. Vous découvrirez alors ce que vous êtes vraiment : une personne qui agit par compassion, et non pour obtenir quelque chose en retour.

Il est encore plus difficile de se défaire des mécanismes de défense qui nous ont aidés à survivre dans notre enfance. Pourtant, ces mécanismes peuvent se retourner contre nous quand ils n'ont plus de raison d'être. Une femme raconte qu'enfant elle avait pris l'habitude de s'isoler dans sa chambre pour échapper à son père alcoolique.

À six ans, c'était le seul moyen dont elle disposait pour se protéger. Elle a pu survivre ainsi à une enfance difficile. Mais, aujourd'hui, elle est mère de famille et un tel repli sur soi a des effets néfastes sur ses enfants. Les mécanismes de défense qui n'ont plus de justification doivent être éliminés. Nous devons les remercier pour leur rôle protecteur, puis nous en libérer. Parfois, il est nécessaire de faire le deuil de cette partie de soi. Cette mère doit pouvoir pleurer cette enfance normale que le destin ne lui a jamais accordée.

Si ces rôles sont utiles durant un temps, ils peuvent aussi à la longue se révéler lourds de conséquences. Certains se rendent compte seulement après la cinquantaine que leur rôle de « soutien et de garant de la paix » au sein de leur famille a pris des proportions démesurées. Petit à petit, sans même s'en rendre compte, ils s'étaient rendus responsables du bonheur de chaque membre de leur famille. Ils s'étaient efforcés de résoudre chaque conflit, de prêter de l'argent, d'aider les uns et les autres à trouver un emploi... Et puis, soudain, ils ont compris que ce rôle exigeant ne correspondait pas à ce qu'ils étaient réellement. Alors, ils l'ont abandonné. Ils ont toujours autant de qualités, mais ils ne se sentent plus contraints de faire le bonheur des autres.

La réalité de ce monde est que les relations humaines entraînent inéluctablement des conflits et des déceptions. Si vous vous sentez obligé de résoudre le moindre problème, vous le paierez très cher, car la tâche est impossible.

Quelle va être votre réaction en prenant conscience du rôle que vous jouiez ?

Vous découvrirez peut-être :

• que ce rôle était une véritable corvée : « Je me sens

bien mieux à présent que je ne me sens plus responsable du bonheur de chacun. »

• que vous trompiez votre monde : « Je manipulais tout le monde, avec une amabilité feinte, afin que l'on m'aime davantage. »

• que vous êtes charmant en étant vous-même.

• que votre attitude était le fruit de la peur : celle de ne pas être charitable, de ne pas aller au paradis, de ne pas être aimé.

• que vos actes ne visaient que votre propre gloire · « Je voulais que tout le monde m'aime et m'admire, mais je me rends compte que je suis un être humain comme tous les autres. »

• que certaines personnes ont besoin de leurs problèmes pour découvrir leur être authentique.

• que vous avez cherché à affaiblir certaines personnes pour vous sentir plus fort.

• qu'en vous focalisant sur les « failles » de certains, vous évitiez de vous confronter à vos propres problèmes.

Même si l'on n'a jamais commis d'actes criminels, il est nécessaire d'affronter la part obscure de sa personnalité. Le noir et le blanc sont clairement visibles. Ce sont les parties grises que l'on s'efforce souvent de cacher ou de nier : le « bon » garçon, le solitaire, la victime et le martyr. Ce sont là les parties grises de notre moi caché. Il faut avoir conscience de ses aspects négatifs pour pouvoir s'en libérer. On ne peut devenir authentiquement soi-même que si l'on reconnaît tous ses sentiments et émotions.

Faire le deuil de ces rôles n'est pas chose aisée, mais ce n'est que de cette façon que l'on pourra connaître le bien-être et se rapprocher de son moi véritable, qui est éternel

Notre être profond va bien au-delà des circonstances de notre vie, grandes ou petites, même si celles-ci sont nos références essentielles. Lorsque l'on se trouve dans un bon jour – si le temps est beau, la bourse en hausse, la voiture propre et rutilante, si le livret scolaire des enfants est excellent ou la soirée agréable – on a le sentiment d'être quelqu'un de formidable. Dans le cas contraire, on pense que l'on est un bon à rien. Nous surfons sur la vague des événements, certains étant contrôlables, d'autres non. Mais notre être profond n'est pas affecté par ce monde, par ces rôles qui ne sont que des illusions. Au-delà des circonstances de notre vie, se trouve un être merveilleux. En nous dépouillant de toutes ces illusions, nous pourrons découvrir sa véritable nature et sa véritable grandeur.

L'être humain se définit par rapport aux autres. On se sent déprimé lorsqu'on est entouré de gens déprimés. On se met sur la défensive lorsqu'on est mis en cause. Mais notre être authentique se situe au-delà de l'attaque ou de la défense. Nous sommes par nature des êtres achevés et précieux, que nous soyons riches ou pauvres, jeunes ou vieux, médaillés olympiques, ou prisonniers d'une relation difficile. Que nous soyons au début ou à la fin de notre existence, au sommet de la gloire ou plongés dans les affres du désespoir, notre être profond se situe toujours au-delà des événements. Vous êtes ce que vous êtes, et non pas votre maladie, ou vos activités. La vie, c'est ce que vous êtes, et non ce que vous faites.

● DK

Un jour, j'ai posé la question suivante à une malade en phase terminale : « Qui êtes-vous à présent ? » Voici sa réponse :

« Toute ma vie, j'ai eu le sentiment déprimant de mener une existence extrêmement banale. En effet, qu'est-ce qui pouvait bien différencier ma vie de celle de n'importe qui d'autre ? Grâce à ma maladie, j'ai compris que j'étais quelqu'un d'unique. Personne d'autre n'a jamais vu le monde comme moi, et personne d'autre ne le fera. Depuis l'aube des temps, et jusqu'à la fin des temps, il n'y a jamais eu et il n'y aura jamais un autre moi. »

Il en est de même pour vous. Personne n'a eu la même expérience du monde que vous. Votre moi profond est unique au-delà de tout entendement. Mais ce n'est qu'en découvrant votre être authentique que vous pourrez affirmer votre caractère unique.

L'ignorance de sa véritable nature favorise grandement la dépression. Découvrir cet être profond constitue une tâche impressionnante. On ne sait comment réagir face à ce moi profond, qui n'a rien de commun avec celui que l'on croyait connaître.

Ceux qui se savent atteints d'une maladie incurable s'interrogent souvent pour la première fois de leur existence sur leur propre identité. Face à la perspective d'une mort imminente, on comprend souvent qu'une partie de soi-même est immortelle et immuable. Quand on n'est plus en mesure d'assumer le rôle de banquier, de voyageur, de médecin ou d'entraîneur, on est amené à se poser cette importante question : « Si je ne suis pas cette profession, alors qui suis-je ? » Si vous n'êtes plus ce brave employé, cet oncle égoïste, ce voisin serviable, qui êtes-vous donc ?

Pour découvrir son être authentique, pour savoir ce que l'on veut vraiment faire ou non, il faut s'impliquer pleinement dans tous ses actes. Tous les aspects de notre vie devraient nous apporter joie et paix, qu'il s'agisse de notre travail ou des vêtements que nous portons. Si l'on accomplit quelque chose uniquement pour paraître à son avantage, on ne pourra pas discerner sa propre valeur. Il est extraordinaire de constater à quel point nous vivons en fonction de ce que nous *devrions* faire, plutôt qu'en fonction de ce que nous *voulons* faire.

De temps à autre, autorisez-vous une petite folie. Vous pourriez ainsi découvrir un nouvel aspect de vous. Ou bien demandez-vous ce que vous feriez si personne ne vous observait et si cela ne prêtait pas à conséquence. En répondant à cette question, vous découvrirez beaucoup de choses sur votre nature profonde. Il se peut que votre réponse révèle la piètre image que vous avez de vous-même, ou bien une leçon que vous devez intégrer pour vous découvrir véritablement.

Si vous vous imaginez capable de commettre un vol, c'est probablement que vous avez peur de manquer de quelque chose.

Si vous vous imaginez capable de mentir, c'est probablement que vous craignez de dire la vérité.

Si vous vous imaginez capable d'aimer quelqu'un que vous n'aimez pas actuellement, c'est probablement parce que vous avez peur de l'amour.

• DK

Autrefois, pendant mes vacances, j'avais l'habitude de tout faire dans la précipitation : je me levais de bonne heure, je m'efforçais de faire le maximum de choses au cours de la journée, et je rentrais épuisé à mon hôtel, tard le soir. Un jour, j'ai enfin compris que je ne profitais pas de ces jours de congé, que j'étais en permanence stressé, et je me suis demandé ce que je ferais si personne ne m'observait : je me réveillerais tard, je visiterais tranquillement deux ou trois sites intéressants, et je paresserais au moins une heure chaque jour sur la plage à lire un bon livre, ou pour ne rien faire du tout. Ce rôle de « vacancier enthousiaste qui veut absolument tout voir » n'était pas moi. J'agissais ainsi parce que je pensais que je devais le faire. Je me suis aperçu que j'étais beaucoup plus heureux et que j'apprenais plus de choses quand j'associais détente et visites.

Que feriez-vous si personne ne vous observait – ni vos parents, ni votre patron, ni votre professeur... ? Comment vous définiriez-vous ? Qui se cache sous vos masques ? Votre véritable moi.

À l'âge de soixante ans, Tim, père de trois filles, fut victime d'un infarctus. Il avait toujours été un bon père pour ses enfants, qu'il avait élevés tout seul. Après cette crise cardiaque, il s'est mis à réfléchir à propos de son existence :

« J'ai compris que ce n'était pas seulement mes artères qui s'étaient sclérosées. Je l'étais moi aussi. Cela remontait à la mort de ma femme, des années auparavant. Il m'avait fallu être fort pour que mes filles le deviennent, elles aussi. Alors, j'ai été dur avec elles. Maintenant, cette tâche est terminée. J'ai soixante ans et j'arriverai bientôt au terme de ma vie. Je n'ai plus envie de jouer les durs. Je veux que mes filles sachent qu'elles ont un père qui les aime énormément. »

Dans sa chambre d'hôpital, il leur fit part de l'amour qu'il leur portait. Elles le savaient depuis toujours, mais le fait que leur père change ainsi d'attitude émut tout le monde aux larmes. Il ne croyait plus à la nécessité de jouer ce rôle de père intransigeant. À présent, il pouvait être véritablement lui-même.

Nous ne sommes pas tous des génies comme Einstein ou des grands athlètes comme Michael Jordan, mais en nous « débarrassant de l'inutile », nous pourrons briller d'une façon ou d'une autre, selon nos propres talents.

Votre être profond est une quintessence de l'amour, la perfection absolue. Vous êtes ici-bas pour vous guérir et pour vous remémorer ce que vous avez toujours été. Votre être authentique est une lumière qui vous guide dans les ténèbres.

En découvrant votre véritable nature, vous trouverez en même temps ce qu'il vous incombe de faire, les leçons que vous devez apprendre. Lorsque l'apparence et la réalité de l'être ne font plus qu'un, il n'est plus nécessaire de se cacher, d'avoir peur ou de se protéger. On se perçoit comme une entité qui transcende les circonstances.

• DK

Un soir, tard, je discutais avec un homme dans un hospice. Il souffrait d'une SLA (sclérose latérale amyotrophique).

— Qu'est-ce qui vous semble le plus dur dans votre situation actuelle ? lui ai-je demandé. L'hospitalisation ? la maladie ?

— Non. Ce qu'il y a de plus dur, c'est que tout le monde parle de moi au passé, comme si je n'existais plus. Quoi qu'il arrive à mon corps, je serai toujours une personne à part entière. En moi, il y a une partie indéfinissable et immuable que je ne perdrai jamais et qui ne disparaîtra ni avec l'âge, ni à cause de la maladie. Cet aspect de mon être est ce que je suis et ce que je serai toujours.

Cet homme avait découvert que l'essence de son être se situait bien au-delà de sa sclérose, de sa fortune ou du nombre d'enfants qu'il avait élevés. Après nous être libérés de tous nos rôles, il nous reste notre être authentique. Il y a, au cœur de chacun d'entre nous, un potentiel de bonté inimaginable, une aptitude à donner sans rien attendre en retour, à écouter sans juger, à aimer de manière inconditionnelle. Cette aptitude représente le but à atteindre. On peut s'en rapprocher, peu ou prou, à tout moment de la journée, si l'on en fait l'effort. Nombreux sont ceux qui ont pu guider les autres après avoir utilisé leur maladie pour finir leur travail inachevé.

Connaître notre être profond, c'est célébrer l'intégrité de notre moi humain, sans exclure la part sombre de notre être que nous nous efforçons souvent de cacher. Contrairement à ce que l'on pourrait penser, ce n'est pas le « bon » qui nous attire, mais l'authentique. Nous apprécions davantage les gens vrais que ceux qui dissimulent leur vraie nature derrière des couches d'amabilités artificielles.

• EKR

Un jour, à l'école de médecine de l'université de Chicago, j'ai eu l'honneur d'être élue « professeur préférée ». Pour nous, professeurs, c'était un très grand honneur. Nous voulions tous être reconnus par nos étudiants.

Quand fut annoncée cette distinction, tout le monde se comporta de manière charmante envers moi, comme d'habitude, mais personne n'y fit allusion. Je sentais bien que leurs sourires cachaient quelque chose. Vers la fin de la journée, on m'apporta une magnifique gerbe de fleurs dans mon bureau, offerte par un de mes collègues. Une carte était jointe : « Mort de jalousie, je t'adresse malgré tout mes sincères salutations. » À partir de ce moment, j'ai su que je pouvais faire confiance à cet homme. Je l'ai aimé pour son caractère entier et authentique. Je savais que je pourrais toujours me sentir en sécurité avec lui, parce qu'il m'avait montré sa vraie nature.

Notre être profond se manifeste à travers l'acceptation sincère de notre face sombre et de nos imperfections. Pour se sentir bien dans sa peau, il est tout aussi important de connaître l'autre que de découvrir la vérité sur soi-même.

Voici ce que nous a raconté un homme à propos de sa grand-mère très malade :

« Je n'arrivais pas à accepter cette situation. J'ai finalement trouvé le courage de lui dire que je ne pouvais pas me faire à l'idée qu'elle puisse partir. Je sais que cela semble égoïste, mais c'est ce que je ressentais.

» "Mon cher petit, me répondit-elle, je me sens bien, ma vie a été pleine et épanouissante. C'est vrai, pour moi c'est la fin, mais je peux t'assurer que j'ai eu une existence riche et active. Nous sommes semblables à un gâteau : nous en donnons une part à nos parents, une part à nos amours, une part à nos enfants, et une autre à notre carrière. Au terme de l'existence, certains n'ont pas gardé de morceau pour eux-mêmes et ne savent même pas quel genre de gâteau ils étaient. Moi, je le sais. C'est quelque chose que chacun de nous doit trouver par lui-même. Maintenant, je peux quitter cette vie en sachant qui je suis."

» Après avoir entendu ces mots – "je sais qui je suis" – j'ai pu la laisser partir. Ce fut radical. Ces mots m'ont semblé tellement profonds. Je lui ai dit que j'espérais qu'au moment de ma propre mort je saurais moi aussi qui je suis. Elle s'est penchée en avant, comme pour me livrer un secret, et m'a dit : "Tu n'as pas besoin d'attendre tes derniers jours pour découvrir quel genre de gâteau tu es." »

2

LA LEÇON DE L'AMOUR

L'amour – que nous avons tant de mal à définir – est la seule expérience humaine véritablement réelle et durable. Il est le contraire de la peur ; il est l'essence de toute relation, le cœur de la créativité, le pouvoir des pouvoirs. Il est ce qu'il y a de plus complexe dans l'être humain. Il est la source du bonheur, l'énergie qui nous relie les uns aux autres et qui vit en nous.

L'amour n'a rien à voir avec la connaissance, l'éducation ou l'autorité. Il se situe au-delà du comportement. C'est en outre le seul bienfait de la vie que l'on ne peut pas perdre. Enfin, c'est la seule chose que l'on peut vraiment donner. Dans un monde d'illusions, de rêves et de vide, l'amour est source de vérité.

Cependant, malgré sa puissance et sa grandeur, il est insaisissable. Certains passent toute leur existence à le chercher. Nous craignons de ne jamais le trouver, et quand nous le découvrons, nous craignons de le perdre ou le considérons comme acquis de peur qu'il nous échappe

Notre conception de l'amour est celle que l'on nous

a inculquée durant notre enfance. L'image la plus commune est celle de l'idéal romantique : on rencontre l'âme sœur, on se sent merveilleusement bien et l'on pense que ce bonheur durera toute la vie. Bien sûr, on a le cœur brisé quand, dans la réalité, on est confronté à un quotidien qui n'a plus grand-chose de romantique, quand on s'aperçoit que l'amour que l'on donne et reçoit est généralement conditionnel. Même les sentiments que l'on éprouve pour les siens ou pour ses amis sont fondés sur des attentes et des conditions. Inévitablement, celle-ci ne sont pas satisfaites, et la réalité de la vie quotidienne prend peu à peu l'aspect d'un cauchemar. Une fois ces illusions romantiques balayées, on se réveille dans un monde d'où cet amour, dont on rêvait, enfant, est absent. Alors, d'un point de vue adulte, on perçoit l'amour lucidement, avec réalisme et amertume.

Fort heureusement, l'amour authentique auquel tout le monde aspire est possible, mais l'approche que nous en avons ne nous permet pas de le découvrir. Il ne s'agit pas de rêver à l'âme sœur ou à l'ami parfait. La plénitude que nous recherchons est présente en nous, ici et maintenant. Il suffit de s'en souvenir.

La plupart d'entre nous aspirent à un amour inconditionnel, fondé sur ce que nous sommes plutôt que sur ce que nous faisons ou non. Les plus chanceux d'entre nous le connaîtront peut-être, pendant quelques minutes durant toute leur existence. C'est triste à dire, mais l'amour que nous recevons est presque toujours conditionnel. Nous sommes aimés pour notre altruisme, pour notre compte en banque, pour notre drôlerie, pour la manière dont nous traitons nos enfants ou tenons notre maison, et ainsi de suite. Il est très difficile d'aimer les autres tels qu'ils sont. On pourrait même dire que nous recherchons des raisons de ne pas les aimer.

• EKR

Un jour, une dame très comme il faut est venue me voir après une conférence. Par *très comme il faut*, je veux dire : coiffure irréprochable, tenue vestimentaire impeccable... Voici son récit :

« J'ai participé à votre stage l'année dernière. En rentrant chez moi, mes seules pensées concernaient mon fils âgé de dix-huit ans. Chaque soir, lorsque je rentrais à la maison, je le trouvais assis sur la table de la cuisine, portant cet horrible T-shirt délavé qu'une de ses copines lui avait donné. J'avais toujours peur que mes voisins ne le voient avec cette horreur et pensent que j'étais pas capable d'habiller correctement mes enfants. Il restait là à traînailler avec ses amis. (Quand elle prononça le mot "amis", son visage se tordit de dégoût.) Chaque soir, je lui faisais des remarques, en commençant par "ce T-shirt". Bref, vous pouvez imaginer le genre de relation que j'entretenais avec mon fils...

Et puis, un jour, j'ai repensé à l'exercice sur la fin de vie que nous avions accompli pendant le stage. J'ai réalisé que la vie est un don qui n'est pas éternel. De même, les êtres qui me sont chers ne seront pas toujours là. Je me suis alors posé des questions essentielles. Si je mourrais demain, quelle vision aurais-je de ma vie ? Je me dirais que j'ai bien vécu, même si ma relation avec mon fils n'a pas été parfaite.

Ensuite, je me suis dit : "Si mon fils mourrait demain, aurais-je bien rempli mon rôle de mère ?"

J'ai pris conscience que j'éprouverais un énorme sentiment de perte et un profond conflit par rapport à notre relation. En déroulant cet horrible scénario dans mon esprit, j'imaginais son enterrement. Je n'aurais pas aimé qu'il soit enterré revêtu d'un costume, car ce n'est vraiment pas son genre. J'aurais aimé qu'il soit enterré avec ce satané T-shirt qu'il aimait tant. C'est ainsi que je pourrais lui rendre hommage.

Quelque chose m'a alors frappée : j'étais prête, s'il venait à disparaître, à l'aimer pour ce qu'il avait été et pour ce qu'il avait lui-même aimé, mais je n'étais pas disposée à lui faire ce cadeau de son vivant. J'ai alors compris que ce T-shirt avait une énorme importance pour lui. Pour une raison que j'ignore, c'était son vêtement préféré. Ce soir-là, quand je suis rentrée, je lui ai dit qu'il pouvait porter ce T-shirt autant qu'il le souhaitait. Je lui ai dit que je l'aimais tel qu'il était. J'ai ressenti un formidable soulagement en me libérant de toutes ces attentes à son égard, en cessant de vouloir à tout prix décider pour lui et en me contentant de l'aimer tel qu'il est. Et maintenant que je ne cherche plus à ce qu'il soit parfait, je m'aperçois qu'il est tout à fait charmant comme ça. »

On ne peut se sentir heureux et en paix dans une relation d'amour que si l'on élimine les conditions auxquelles elle était soumise. Malheureusement, d'une manière générale, plus on aime quelqu'un, plus l'amour est conditionnel. On nous a inculqué dans l'enfance qu'il s'agissait d'une règle – on peut même dire que l'on a été conditionné à cette vision des choses. Pour modifier cette idée préconçue, il faut donc passer par un difficile processus de désapprentissage. Il est illusoire d'espérer un amour inconditionnel et absolu, mais un amour authentique et durable est tout à fait possible.

Une des rares relations marquées par un amour inconditionnel est celle que l'on noue avec les tout petits enfants, car ils se fichent complètement de nos activités, de notre compte en banque, ou de nos accomplissements. Ils nous aiment, un point c'est tout. Par la suite, nous les conditionnons en les récompensant quand ils nous sourient ou obtiennent de bonnes notes à l'école, ou lorsqu'ils sont « sages ». Nous avons beaucoup à apprendre des sentiments que nous portent nos enfants. Si nous les aimions sans conditions, un peu plus longtemps, nous créerions un monde très différent.

Les conditions auxquelles nous soumettons l'amour contrarient fortement notre relation à l'autre. En les éliminant, nous découvrirons de nouveaux aspects merveilleux de l'amour.

Le plus grand obstacle est la peur de ne pas être payé en retour. Si nous éprouvons cette crainte, c'est parce que nous ne réalisons pas que le véritable amour consiste à donner, et non à recevoir.

Si nous passons notre temps à évaluer l'amour reçu, non seulement nous ne nous sentirons jamais aimés, mais nous aurons le sentiment d'être systématiquement trompés. Non parce que ce serait une réalité, mais parce que le fait de « calculer » n'est pas un acte d'amour. Si vous éprouvez le sentiment d'être mal aimé, ce n'est pas parce que l'on ne vous aime pas, c'est parce que vous refoulez votre amour.

Quand vous vous disputez avec un proche, vous croyez être en colère à cause de ce que cette personne a fait ou non. En réalité, si vous êtes dans cet état, c'est parce que vous avez fermé votre cœur, parce que vous avez retenu votre amour. Vous ne devriez jamais en priver les autres, sous prétexte que, selon vous, ils ne le méritent pas. Et s'ils ne le méritaient jamais ? Allez-vous cesser pour toujours d'aimer votre mère, votre ami(e), votre

41

frère ? En revanche, si vous exprimez vos sentiments malgré ce qu'ils ont pu faire, vous constaterez des changements, vous découvrirez le pouvoir infini de l'amour. Vous verrez que leur cœur s'ouvre tout grand.

• DK

Une femme, hôtesse de l'air à la compagnie TWA, nous a fait le récit suivant :

« J'étais très amie avec une hôtesse du vol 800. Un jour, comme je pensais à elle, je lui ai téléphoné. Cela faisait un certain temps qu'on ne s'était pas vues, et elle me manquait. J'ai laissé un message sur son répondeur en lui demandant de me rappeler. Le temps passant, j'étais de plus en plus irritée par son silence. Mon mari me conseilla de la rappeler ou de lui laisser un nouveau message. Je savais qu'elle était très occupée et qu'elle devait sans doute attendre d'être moins bousculée pour me contacter. Malgré cela, ma colère ne faisait que croître, au point que je décidai de lui retirer mon affection. Le lendemain, j'appris que son avion s'était écrasé. J'ai alors éprouvé un terrible remords à l'idée de lui avoir fermé mon cœur. »

J'ai conseillé à cette hôtesse de ne pas se montrer aussi dure envers elle-même. Je lui ai fait remarquer que son amie savait, après des années d'une relation sans nuages, qu'elle était aimée. Cette femme devait se pardonner à elle-même et prendre conscience qu'elle se comportait de la même façon envers elle-même que vis-à-vis de son amie : elle mesurait l'amitié à l'aune d'un moment, d'un acte, puis fermait son cœur. Aussi faut-il s'efforcer de considérer l'amour de manière globale, et non dans les détails. Car un simple coup de téléphone peut nous en détourner. Cette histoire nous montre bien comment nos attentes, nos calculs interfèrent avec l'expression de notre amour. C'est une leçon douloureuse.

Pour être en mesure d'ouvrir son cœur, il faut faire l'effort de considérer les choses différemment. Si on le ferme, si l'on est intolérant, c'est souvent parce que l'on ne comprend pas l'autre. On ne comprend pas pourquoi elle ne rappelle pas, ni pourquoi elle est aussi bruyante, alors on décide de ne plus l'aimer. Nous nous focalisons beaucoup trop sur nos blessures, notre chagrin, sur le traitement injuste que nous avons subi. En réalité, nous nous trahissons nous-même en refusant d'offrir notre sourire, notre compréhension, notre amour. Nous gardons par-devers nous le plus grand don que Dieu nous ait accordé. Le refus de donner son amour est bien plus grave que ce que l'autre a pu faire.

Un soir, tard, une vieille dame âgée de quatre-vingt-dix ans nous a confié ses sentiments sur la vie et l'amour :

« Ma mère se méfiait terriblement des hommes. Pour elle, ils n'étaient bons qu'à assurer la sécurité matérielle. À l'âge adulte, je décidai de rester aux côtés de ma mère et de ne jamais laisser entrer l'amour dans ma vie. Pourquoi me serais-je exposée à une telle déconvenue ? Je n'avais confiance qu'en mon frère, que j'aimais profondément. Il était tout pour moi : mon grand frère, mon ami, mon protecteur. Il avait épousé une femme merveilleuse.

» Alors que j'approchais de la trentaine, il tomba gravement malade. Les médecins ne savaient pas vraiment de quoi il souffrait. Je lui tenais compagnie à l'hôpital et, je ne saurais dire pourquoi, mais nous savions tous deux qu'il allait mourir. Je lui confiai que je ne pourrais jamais vivre dans un monde d'où il serait absent. Il me répondit que la vie lui avait énormément apporté et que, si cela était à refaire, il ne changerait rien à son existence, sauf en ce qui me concernait : "J'ai peur que tu ne passes à côté de ta vie, et à côté de l'amour. Ne fais pas ça. Chacun, durant le voyage de l'existence, devrait en faire l'expérience. En fin de compte, peu importe l'âge, la personne, la durée, car l'important c'est d'aimer. Ne passe pas à côté de l'amour. Ne prends pas le train de la vie sans lui."

» C'est grâce aux conseils de mon frère que j'ai enfin pu m'abandonner à ma vie de femme. J'aurais pu continuer à me méfier des hommes, j'aurais pu devenir une femme "au rabais". Mais j'ai réussi à surmonter ma méfiance et mes peurs. Mon frère avait tellement raison : une vie sans amour reste inaccomplie. »

La plupart d'entre nous, du fait de l'éducation reçue, ont la même conception de « l'amour » que celle que cette dame avait dans sa jeunesse. Très tôt, nous apprenons à nous méfier des hommes, des femmes, du mariage, des parents, de la belle-famille, des collègues, des patrons et de la vie elle-même. Tout cela nous a été inculqué par des gens bien intentionnés qui pensaient agir pour notre bien. Ils ne se rendaient pas compte qu'ils nous condamnaient ainsi à passer à côté de l'amour.

Pourtant, au tréfonds de notre être, nous savons que notre destin est de vivre et d'aimer pleinement, de vivre de grandes aventures durant toute notre existence. Il se peut que ce sentiment soit profondément enfoui, mais il est bien là, dans l'attente d'être révélé à la suite d'un événement ou d'une conversation. Parfois, nous apprenons des leçons par des voies inattendues. Grâce aux enfants, par exemple.

• EKR

Il y a quelques années de cela, j'ai fait la connaissance d'un jeune garçon plein d'amour et de vie, bien que déjà en phase terminale. Âgé de neuf ans, il souffrait d'un cancer depuis l'âge de trois ans. Un jour, à l'hôpital, je l'ai observé un instant et j'ai compris qu'il avait cessé de se battre. Il en avait assez. Il avait accepté la réalité de sa situation. À ma grande surprise, il m'a demandé de l'accompagner chez lui. Tandis que je jetais un coup d'œil à ma montre, il m'assura que cela ne serait pas long. Un peu plus tard, je garais donc ma voiture devant sa maison. Il demanda à son père de lui apporter son vélo, qui était rangé dans le garage depuis trois ans. Son plus grand rêve – qu'il n'avait jamais été en mesure de réaliser – était de faire, une seule fois, le tour du pâté de maisons. Il demanda à son père de placer les roues stabilisatrices sur sa bicyclette. Ce que s'apprêtait à accomplir ce petit garçon requerrait un grand courage : il est humiliant d'être vu avec des roues stabilisatrices quand vos petits copains jouent les cascadeurs sur leur propre vélo. Les larmes aux yeux, son père lui apporta sa bicyclette.

Ensuite, le garçon se tourna vers moi et me dit : « Il faut que tu retiennes ma mère. »

Vous savez comment sont les mamans : elles veulent constamment préserver leurs enfants. La sienne voulait le tenir pendant qu'il faisait son tour, mais cela aurait privé le garçon d'une grande victoire. Elle comprit toutefois qu'une des dernières choses qu'elle pouvait faire pour son fils était de refréner, par amour pour lui, son envie de le protéger pendant qu'il relevait son dernier grand défi.

Nous avons attendu son retour. Cela nous a semblé une éternité. Puis, il est apparu au coin de la rue, luttant pour garder son équilibre. Il était livide et totalement épuisé. Personne ne l'en aurait cru capable. Il est venu jusqu'à nous, le visage rayonnant ; puis, son père a enlevé les roues stabilisatrices et nous avons porté l'enfant et son vélo à l'étage. « Quand mon frère rentrera de l'école, pourriez-vous lui dire de venir me voir ? » demanda-t-il.

Deux semaines plus tard, son petit frère, élève au cours préparatoire, nous apprit que son frère lui avait donné sa bicyclette comme cadeau d'anniversaire, car il savait qu'il ne serait plus là pour le fêter. Alors qu'il ne lui restait que très peu de temps et d'énergie, ce courageux petit garçon avait réalisé ses derniers rêves : faire un tour sur son vélo et offrir ensuite celui-ci à son petit frère.

Nous rêvons tous d'une vie remplie d'amour et d'aventures. Malheureusement, nous trouvons aussi mille raisons pour renoncer à vivre nos rêves, prétendument pour nous protéger. En réalité, ces raisons nous emprisonnent et maintiennent la vie à distance. Notre existence s'achèvera plus tôt que nous le pensons. Alors, si vous avez une vieille bicyclette dans votre garage, ou quelqu'un à qui exprimer votre amour, c'est maintenant qu'il faut agir.

● EKR

En réfléchissant aux leçons de l'amour, je pensais à ma propre expérience. Naturellement, le fait que je sois encore en vie signifie que j'ai encore des leçons à retenir de l'existence. Comme tous ceux avec qui j'ai travaillé, j'ai besoin d'apprendre à m'aimer davantage. Je me vois toujours comme une Suissesse un peu rustaude et, chaque fois que j'entends l'expression « amour de soi », je dois admettre que j'imagine une femme en train de se masturber. Ainsi, je n'ai jamais pu assimiler correctement ce concept.

J'ai reçu beaucoup d'amour des autres tant dans ma vie personnelle que professionnelle. Dans ces conditions, on pourrait penser qu'il serait naturel que je m'aime moi-même. Mais ce n'est hélas pas le cas, et il en est de même pour la plupart d'entre nous. Je m'en suis rendu compte en côtoyant des centaines de patients. L'amour doit venir de l'intérieur, si tant est qu'il vienne un jour. Et en ce qui me concerne, je suis certaine qu'il n'est pas encore là.

Comment faire pour s'aimer soi-même ? C'est sans doute le défi le plus difficile que nous ayons à relever. Rares sont ceux qui l'ont appris durant leur enfance. D'une manière générale, on nous inculque très tôt que l'amour de soi est une mauvaise chose, car on le confond avec l'égotisme et l'égocentrisme. Nous en arrivons ainsi à croire qu'il consiste à rencontrer l'être idéal, ou quelqu'un qui nous traite comme nous le souhaitons. Mais tout cela n'a rien à voir avec l'amour.

La plupart d'entre nous n'en ont jamais fait l'expérience. Nous recevons surtout des récompenses. Enfants, nous apprenons que nous serons « aimés » si nous sommes polis, si nous obtenons de bonnes notes, si nous sourions à Mamie, ou si nous nous lavons bien les mains avant les repas. Nous faisons des pieds et des mains pour être aimés, sans jamais réaliser qu'il s'agit d'un amour conditionnel, donc factice. Comment peut-on aimer s'il faut remplir tant de conditions ? On peut commencer par nourrir son esprit en éprouvant de la compassion pour soi-même.

Nourrissez-vous votre esprit ? Qu'avez-vous fait pour vous sentir mieux dans votre peau ? Lorsque l'on s'aime soi-même, on remplit son existence d'activités réjouissantes, qui enchantent l'esprit et le cœur. Il ne s'agit pas de ce que l'on nous demande de faire, mais de ce que nous faisons uniquement pour nous-même. Prendre soin de soi, ce peut être faire la grasse matinée un samedi au lieu de se lever tôt pour accomplir une activité « productive ». C'est aussi intégrer l'amour qu'il y a tout autour de soi.

Ayez un peu de compassion envers vous-même, faites une pause. Cessez, l'espace d'un moment, de dire que vous êtes stupide, que vous n'auriez jamais dû faire ceci ou cela. Quand quelqu'un commet une erreur, vous lui dites généralement de ne pas s'inquiéter, que cela arrive à tout le monde, qu'il n'y a pas de quoi en faire un plat. Pourtant, lorsque vous faites la même erreur, vous avez le sentiment d'être en dessous de tout. Nous avons généralement tendance à être plus indulgents envers les autres qu'envers nous-mêmes. Efforcez-vous donc d'être aussi tolérant envers vous-même que vous l'êtes envers les autres.

● DK

    Caroline est une grande et jolie femme proche de la cinquantaine, riche de cœur et d'esprit. Elle a de magnifiques cheveux noirs et le sourire le plus sincère que l'on puisse imaginer. Nous nous sommes connus alors que nous travaillions sur le même projet, et je dois dire que c'est l'une des personnes les plus heureuses qu'il m'ait été donné de rencontrer. Depuis deux ans, elle vivait une merveilleuse histoire avec un homme intelligent, charmant et plein d'esprit. À l'époque, ils réglaient les derniers détails de leur mariage et envisageaient sérieusement d'adopter un enfant.

    La fréquentation de Caroline fut pour moi une expérience enthousiasmante. Nul ne lui était indifférent, elle se montrait gentille et proche de chacun – le réceptionniste, la serveuse... Un soir, au cours du dîner, je lui déclarai qu'elle avait de la chance en amour. Avec un petit rire, elle me répondit que ce n'était pas de la chance, et elle me raconta son histoire :

    Six ans plus tôt, elle avait découvert une grosseur dans l'un de ses seins. À la suite d'une biopsie, le médecin lui dit que cela lui semblait inquiétant. Elle dut attendre encore trois jours pour savoir s'il s'agissait ou non d'une tumeur cancéreuse.

    « J'ai pensé que c'était la fin, dit-elle. Toute la tristesse de ma vie m'est apparue clairement. Ces trois jours m'ont semblé les plus longs de mon existence. J'ai poussé un immense soupir de soulagement quand j'ai su qu'il ne s'agissait pas d'un cancer. C'était évidemment une merveilleuse nouvelle, mais je me suis juré de tirer les enseignements de ces trois jours atroces : il était hors de question que je continue à mener la même vie qu'auparavant.

» Les vacances de Noël approchaient et j'avais reçu, comme d'habitude, plusieurs invitations pour le réveillon. L'année précédente, j'avais été désespérément seule. J'étais passée d'une soirée à l'autre pour trouver l'amour. Je voulais être aimée, je voulais que quelqu'un me donne tout l'amour que je me refusais à moi-même. Je me rendais à une soirée, cherchais rapidement l'homme de mes rêves, et, si je ne le trouvais pas, je me précipitais à une autre fête. Après de multiples tentatives, j'étais rentrée chez moi désespérée, encore plus seule qu'au début de la soirée.

» Cette année-là, je décidai de changer de stratégie. Il devait bien y avoir une solution. Je me résolus à cesser de chercher l'amour à tout prix. Je me suis rendue à une soirée, en me disant que, si l'élu de mon cœur ne s'y trouvait pas, je pourrais toujours passer une soirée agréable en compagnie de personnes merveilleuses. Je me contenterais de leur parler, de m'amuser. J'étais disposée à aimer ces personnes pour ce qu'elles étaient.

» Bon, je suis sûre que vous pensez que c'est dans ces circonstances que j'ai rencontré l'élu de mon cœur. Mais non, ce ne fut pas le cas. Toutefois, à la fin de cette soirée, je ne me suis sentie ni seule ni désespérée, parce que j'avais vraiment parlé avec les gens. Ce soir-là, mes sourires et mes rires avaient été authentiques, tout comme l'amour que j'avais éprouvé. Ce fut un moment merveilleux. Je me suis sentie aimée comme jamais, et, à ma grande surprise, je m'aimais moi-même bien davantage.

» Par la suite, j'ai continué d'appliquer la même "stratégie", non seulement lors de soirées, mais aussi au bureau, au magasin, dans toutes les situations possibles et imaginables. Plus je donnais d'amour, plus j'en recevais, et plus il m'était facile de m'aimer moi-même. Je me suis sentie de plus en plus proche de mes amis, j'ai fait quelques rencontres merveilleuses. Je suis devenue quelqu'un de plus heureux, quelqu'un que l'on a envie de connaître. Je n'étais plus cette personne désespérée, toujours en quête du bonheur. Je faisais tous les jours l'expérience de l'amour. »

S'aimer soi-même, c'est absorber l'amour qui se trouve à tout moment autour de soi, c'est abattre toutes les barrières. Il est difficile de voir les barrières que l'on érige autour de soi, mais elles sont bien là, et elles affectent toutes les relations.

Lorsque nous serons devant Dieu, Il nous posera cette question : « As-tu donné ou reçu de l'amour ? » Nous apprendrons à nous aimer nous-même en laissant les autres nous aimer, et en le leur rendant. Dieu nous a donné d'innombrables occasions d'aimer et d'être aimés. Elles sont là, autour de nous, et attendent seulement que nous les saisissions.

• EKR

Un homme âgé de trente-huit ans, chez qui l'on avait diagnostiqué un cancer de la prostate, me confia qu'il avait passé en revue son existence durant son traitement. Tandis qu'il évoquait sa solitude, son visage s'emplit de tristesse. Je lui fis alors cette simple remarque :

— Comment se fait-il qu'il n'y ait pas de femme dans la vie d'un homme aussi brillant, séduisant et charmant que vous ?

— Je n'ai pas de chance en amour. J'ai beau tout faire pour rendre mes compagnes heureuses, je finis toujours par les décevoir. Quand je m'en aperçois, il est trop tard. Jusqu'ici, cela n'avait pas d'importance, car je n'avais aucune difficulté à retrouver quelqu'un. Aujourd'hui, j'ai parcouru la moitié du chemin, mais ma vie pourrait s'achever beaucoup plus tôt que je ne le pensais. Je commence à me demander si j'ai jamais vraiment aimé quelqu'un. Manifestement, les femmes ne sont pas heureuses avec moi. Il vaut mieux que je laisse tomber.

Je lui ai alors dit une chose à laquelle, apparemment, il n'avait jamais réfléchi : « Et si l'amour ne consistait pas à rendre une femme heureuse, mais tout simplement à vivre l'instant présent ? On sait bien qu'on ne peut pas rendre quelqu'un heureux tout le temps. Peut-être faites-vous complètement fausse route, peut-être que votre seule présence pourrait lui suffire. »

La vie est marquée par des hauts et des bas. Nous ne pouvons pas résoudre tous les problèmes de nos proches, mais nous pouvons rester auprès de l'être aimé. N'est-ce pas, au fil des années, la plus belle preuve d'amour ?

— Aujourd'hui, vous êtes à l'hôpital pour suivre un traitement contre le cancer de la prostate. Dans ces conditions, il est improbable qu'une femme – ou n'importe qui d'autre – puisse vous rendre heureux, lui fis-je remarquer. Mais ne croyez-vous pas que la présence d'un être cher à vos côtés, dans ces circonstances difficiles, constituerait un grand réconfort pour vous ?

- DK

   Je termine souvent mes conférences en évoquant le destin tragique d'une jeune mère et de sa fille, Bonnie, qui vivaient dans la banlieue de Seattle. Cette histoire nous montre comment un inconnu peut être une source de réconfort. Un jour, cette femme confia sa petite Bonnie, âgée de six ans, à sa voisine, pour qu'elle la garde pendant ses heures de travail. Plus tard dans la journée, alors que Bonnie jouait sur la pelouse de la voisine, une voiture dérapa dans le virage, fit un vol plané au-dessus de la clôture du jardin et vint frapper de plein fouet la petite fille, qui fut projetée dans la rue.
   La police arriva presque aussitôt sur les lieux du drame. Un policier se précipita vers l'enfant et constata immédiatement l'extrême gravité de ses blessures. Voyant qu'il ne pouvait rien faire pour la sauver, il la prit simplement dans ses bras.
   Lorsque l'ambulance arriva, elle avait cessé de respirer. Les secouristes mirent immédiatement en place l'équipement de réanimation et transportèrent à toute allure la fillette à l'hôpital. Là, l'équipe des urgences essaya pendant une heure de la réanimer, en vain.
   Une infirmière, qui avait désespérément tenté de téléphoner à la mère de Bonnie à son travail, finit par la joindre et lui apprit la terrible nouvelle, avec le plus

de délicatesse possible. Bien qu'on lui ait proposé de venir la chercher, la mère voulut à tout prix parcourir seule le long trajet.

Lorsqu'elle arriva enfin à l'hôpital, elle se montra stoïque jusqu'à ce qu'elle découvre sa petite fille gisant sans vie sur la table d'opération. Alors, elle s'effondra complètement.

Les médecins lui expliquèrent la nature des blessures de sa fille et ce qu'ils avaient fait pour tenter de la sauver. Cela n'eut aucun effet. Les infirmières, à leur tour, lui dirent qu'elles aussi avaient fait tout leur possible. La mère demeura inconsolable et dans un tel état d'abattement, que l'équipe soignante envisagea de la faire admettre dans l'établissement. Puis, la femme traversa la salle des urgences et se dirigea vers le téléphone public pour prévenir les membres de sa famille. En la voyant, un policier, qui était resté assis là pendant presque quatre heures, se leva. C'était celui qui avait pris la petite Bonnie dans ses bras. Il s'approcha de la mère et lui raconta ce qui était arrivé, puis ajouta : « Je veux juste que vous sachiez qu'elle n'était pas seule. »

La mère éprouva un immense sentiment de reconnaissance en apprenant que, durant ses derniers instants, sa fille avait été entourée de l'affection et du soutien de cet homme. Elle en fut soulagée, car elle savait que sa fille avait éprouvé le réconfort de l'amour à la fin de son existence, même si cela avait été le fait d'un inconnu.

• EKR

Vivre dans l'instant présent est primordial dans toutes les circonstances de la vie, y compris au terme de celle-ci. Il y a de nombreuses années de cela, j'ai observé un phénomène intéressant dans un hôpital. De nombreux mourants affirmaient se sentir parfaitement bien, non pas physiquement, mais mentalement. Je n'y étais pour rien. C'était la femme de ménage qui produisait cet effet sur eux. Chaque fois qu'elle quittait la chambre d'un malade, l'état de celui-ci s'améliorait nettement. J'aurais donné un million de dollars pour découvrir son secret. Et puis, un jour, je l'ai croisée dans un couloir et je lui ai demandé d'un ton plutôt cassant :

— Mais qu'est-ce que vous fabriquez avec mes patients ?

— Je ne fais que nettoyer leurs chambres, m'a-t-elle répondu, sur la défensive.

Bien déterminée à découvrir le fin mot de l'histoire, je l'ai observée pendant un certain temps, mais en vain. Après quelques semaines de ce jeu-là, elle m'a finalement abordée dans le couloir et m'a entraînée dans une petite pièce derrière l'infirmerie. Elle m'a alors raconté que, quelque temps auparavant, son petit garçon de trois ans était tombé très malade. Elle l'avait emmené aux urgences de l'hôpital où elle avait attendu désespérément pendant des heures que l'on veuille bien s'occuper de lui. Mais personne n'était venu et son enfant était mort dans ses bras, fauché par une pneumonie. Elle me fit ce récit sans manifester le moindre sentiment de haine, de ressentiment ou de colère.

— Pourquoi me racontez-vous tout cela ? lui

demandai-je. Qu'est-ce que cela a à voir avec mes patients ?

— Voyez-vous, la mort n'est plus une inconnue pour moi. C'est une vieille, une très vieille connaissance. Parfois, lorsque j'entre dans la chambre d'un de vos patients, je m'aperçois qu'il est paralysé de peur et qu'il n'a personne à qui parler. Alors, je vais à son chevet et je lui prends la main. Je lui dis que j'ai vu la mort, qu'il ne doit pas la craindre, car elle n'est pas si terrible. Et puis je reste là, avec lui. Je pourrais le laisser seul, mais non, je m'efforce d'être présente. C'est cela, l'amour.

Ignorant tout de la psychologie et de la médecine, cette femme avait cependant découvert l'un des plus grands secrets de la vie : l'amour est présence et compassion.

Parfois, en raison des circonstances, nous ne sommes pas en mesure d'être présents physiquement. Mais nous pouvons toujours rester en contact avec autrui grâce à l'amour.

• DK

L'année dernière, j'ai été invité à La Nouvelle-Orléans pour prendre la parole devant un public de médecins et d'infirmières. Plus tard, je devais donner un cours à des assistantes sociales à l'université Tulane. Je m'attendais à une expérience gratifiante sur le plan professionnel, mais certainement pas à une partie de plaisir. Quand l'avion atterrit, une vague d'émotions me submergea : cet endroit resterait pour toujours celui où j'avais vu ma mère pour la dernière

fois. Après avoir accompli mes obligations professionnelles, je décidai de retourner dans l'établissement où ma mère était morte.

L'hôpital de notre ville n'avait pas les moyens
de s'occuper de ma mère, aussi avait-elle été transfé-
rée dans un hôpital plus important, à deux cents kilomètres de chez nous. Je n'avais que treize ans à
l'époque. Le règlement n'autorisait les visites qu'à
partir de l'âge de quatorze ans. J'étais donc resté assis
des heures durant à l'extérieur de l'unité des soins
intensifs, avec l'espoir de m'introduire subreptice-
ment dans la salle pour parler à ma mère, la toucher,
pour simplement rester à son côté.

La situation était déjà suffisamment pénible
comme cela. Le destin voulut que l'hôtel Howard
Johnson, situé juste à côté de l'hôpital, où mon père
et moi étions descendus, ait été soudain évacué. Nous
nous trouvions dans le hall et nous apprêtions à aller
voir ma mère, quand brusquement, plusieurs cars de
police s'étaient arrêtés devant l'hôtel dans un crisse-
ment de pneus. Des policiers se ruèrent à l'intérieur,
puis nous ordonnèrent d'évacuer l'établissement.
Nous nous précipitions vers la sortie quand nous
entendîmes des coups de feu. Un tireur embusqué se
trouvait sur le toit et tirait sur les passants. Mon père
et moi voulions nous rendre directement à l'hôpital
pour rejoindre ma mère, mais les autorités ne voulu-
rent rien entendre et insistèrent pour que nous nous
réfugiions dans le bâtiment contigu. Finalement, la
police reprit le contrôle de la situation, et nous pûmes
entrer dans l'hôpital. Le forcené fut plus tard tué par
les forces de l'ordre.

À treize ans, au moment où j'avais désespérément besoin de voir ma mère, de passer quelques pré-

cieux moments avec elle, de lui dire au revoir, j'avais été évacué précipitamment d'un hôtel parce qu'un forcené tirait sur les passants.

Vingt-six ans plus tard, je traversais à nouveau la petite pelouse devant l'hôtel, les yeux fixés sur l'hôpital. Je me souvenais de cette journée si agitée. Je suis resté devant la porte de l'unité de soins intensifs où ma mère avait passé les deux dernières semaines de sa vie, à regarder à travers la même baie vitrée, comme le petit garçon d'autrefois qui essayait d'apercevoir sa mère.

Une infirmière est venue vers moi et m'a demandé si je voulais voir quelqu'un. En lui répondant « Non, merci », je ne pus m'empêcher de penser au paradoxe de la situation : des années auparavant, une autre infirmière m'avait refusé l'entrée de la salle.

— En êtes-vous sûr ? insista-t-elle. Vous en avez le droit.

— Oui. La personne que j'aurais aimé voir n'est plus là, mais merci quand même.

Aujourd'hui, après de nombreuses années et maintes leçons, je sais que ma mère vit dans mon cœur et dans mon esprit, ainsi que dans les mots de cette page. Je crois aussi qu'elle vit, quelque part ailleurs, une autre sorte d'existence. Je ne puis ni la voir ni la toucher, mais je peux sentir sa présence. Au-delà du chagrin et de la séparation, je sais que j'étais à son côté dans ses derniers jours, même si je n'étais pas physiquement présent.

Parfois, ce sont des inconnus qui assistent nos proches. Des professionnels de la santé – ou toute autre personne pleine de compassion – accomplissent un acte d'amour profond en étant simplement présents, parfois sans même connaître le nom de la personne qu'ils soutiennent.

Une femme de ménage, une mère, un ami ou un policier qui prend dans ses bras une petite fille qu'il ne connaissait pas... Les leçons sur l'amour peuvent revêtir n'importe quelle forme et concerner toutes sortes de gens. Peu importe ce que nous sommes, ce que nous faisons, l'importance de notre compte en banque, les personnes que nous fréquentons : nous pouvons tous aimer et être aimés. Il suffit d'être présent, d'ouvrir son cœur à l'amour et d'en donner en retour, en étant déterminé à ne pas refuser ce don du ciel.

L'amour est toujours présent, dans toutes nos expériences, bonnes ou mauvaises, et même dans les tragédies qui nous accablent. Il est ce qui donne un sens profond à notre quotidien, il est notre nature même. Quel que soit le nom que nous lui donnons – amour, Dieu, âme – il est vivant et tangible, car il existe en chacun de nous. L'amour est notre expérience du divin, de la sainteté sacrée. Il est la richesse qui se trouve autour de nous. C'est à nous de le prendre.

3

LA LEÇON DE LA RELATION À L'AUTRE

Une femme âgée de quarante et un ans évoque une soirée en apparence tranquille qu'elle et son mari avaient passée plusieurs mois auparavant. Après avoir dégusté le dîner simple qu'elle avait préparé, ils avaient regardé la télévision. Vers 21 heures, son mari se plaignit de troubles gastriques et prit un antiacide. Quelques minutes plus tard, il l'informa qu'il allait se coucher. Elle l'embrassa et lui souhaita bonne nuit, en lui disant qu'elle le suivrait plus tard et qu'elle espérait qu'il se sentirait mieux le lendemain matin. Une heure et demie plus tard, lorsqu'elle se mit au lit, son mari était profondément endormi.

Dès son réveil, le lendemain matin, elle comprit que quelque chose ne tournait pas rond. « C'était un fort pressentiment, dit-elle. J'ai jeté un coup d'œil sur Kevin et j'ai compris qu'il était mort. Il était parti durant son sommeil à la suite d'une crise cardiaque, à l'âge de quarante-quatre ans. »

Cette terrible expérience lui a appris que rien n'est définitif – ni les relations, ni les êtres :

« Après la mort de Kevin, j'ai repassé le film de notre vie et tout m'a semblé complètement différent. J'ai revu nos derniers bons moments. J'ai compris que l'on ne peut jamais savoir à l'avance quel sera le dernier dîner en ville, le dernier Thanksgiving. Et cela est valable pour tous les types de relations. Je m'efforce de revenir sur ces événements et de penser que j'ai fait de mon mieux pour être totalement présente. J'ai compris que Kevin était un don du ciel qui m'avait été accordé pour un temps seulement, comme toutes les personnes que je rencontre. Sachant cela, je vis beaucoup plus intensément les moments passés avec autrui. »

Nous faisons de multiples rencontres durant notre existence. Nous choisissons certaines personnes – époux, amis... – tandis que d'autres – parents frères et sœurs... – nous sont « imposées ».

La relation à l'autre nous offre de formidables occasions de découvrir des vérités essentielles, notre personnalité profonde, nos peurs, la nature de notre pouvoir et le sens de l'amour authentique. Cette idée peut sembler bizarre à première vue, car nous savons que les relations sont parfois faites de frustrations, de difficultés, et même de déchirements. Mais elles peuvent aussi être – et le sont souvent – de merveilleuses occasions d'apprendre, de grandir, d'aimer et d'être aimé.

Le cercle de nos proches est relativement étroit : notre compagne ou compagnon, quelques amis intimes, les membres de notre famille. C'est du moins notre impression. En réalité, nous entretenons des relations avec chaque personne que nous rencontrons, qu'il s'agisse d'amis, parents, collègues, enseignants ou commerçants. Nous avons des rapports avec le médecin que nous ne voyons qu'une fois l'an et avec ces voisins agaçants que nous évitons le plus possible. Il s'agit bel et bien de liens, qui ont certes chacun leurs caractéristiques propres, mais qui ont aussi beaucoup en commun, parce qu'ils sont humains. Vous êtes le dénominateur commun, depuis la plus intime et la plus intense relation jusqu'à la plus distante. Votre attitude – positive ou négative, pleine d'espoir ou haineuse – se retrouvera dans toutes les autres. Vous avez le choix d'introduire un peu ou beaucoup d'amour dans chacune d'elles.

● EKR

Hillary, qui en était à son quatrième séjour à l'hôpital, luttait contre le cancer depuis plusieurs années, entre rémissions et rechutes. Sa meilleure amie, Vanessa, et le mari de celle-ci, Jack, avaient accepté la perspective de sa mort prochaine. Jack me confia toutefois qu'ils étaient très tristes qu'Hillary n'ait pas trouvé l'élu de son cœur, qu'elle disparaisse dans la solitude.

— Elle ne va pas mourir seule puisque vous êtes là, répondis-je.

Lorsque je suis revenue voir Hillary, la fois suivante, Vanessa et moi sommes sorties dans le couloir pour parler car il y avait beaucoup de monde dans la chambre.

— Jack trouve qu'il est très triste qu'Hillary n'ait pas trouvé l'homme de sa vie, me dit-elle. Mais, en ce qui me concerne, je l'envie quand je vois tout l'amour qui règne dans cette pièce. Franchement, je ne savais pas que tant de gens l'aimaient. Je crois que je n'ai jamais vu quelqu'un autant entouré d'affection. Je pense qu'Hillary elle-même en est surprise.

Plus tard, ce soir-là, Hillary a regardé les visages de ceux qui l'entouraient et a dit : « Je n'arrive pas à croire que tant de gens soient venus ici pour me voir. Je ne savais pas que vous m'aimiez tous autant. » Ce furent ses dernières paroles.

Certains d'entre nous ne trouveront peut-être jamais l'élu(e) de leur cœur, mais cela ne signifie pas que leur existence soit dépourvue d'amour. Il est important de comprendre que, si nous ne trouvons pas toujours l'amour, c'est parce que nous lui collons une étiquette, en pensant que le seul amour « authentique » est romantique. Pourtant, il y a tant d'amour autour de nous, tant de liens à nouer. Nous pourrions tous avoir la chance de vivre et de mourir entourés d'affection comme Hillary.

Il n'existe pas de relation insignifiante ou fortuite. Chaque rencontre, chaque échange – depuis la relation amoureuse jusqu'au dialogue anonyme avec une opératrice –, qu'il soit bref ou profond, positif, neutre ou douloureux, est chargé de sens. Et, dans le grand schéma de l'univers, chaque relation est potentiellement importante, car même le lien le plus superficiel avec un inconnu peut nous révéler beaucoup de choses sur nous-même. Chaque personne que nous rencontrons peut nous apporter une parcelle de bonheur, nous faire découvrir l'amour qu'il y a en nous, ou bien, à l'inverse, nous plonger dans la tristesse et les conflits intérieurs. Nous pouvons trouver des flots d'amour et d'amitié là où nous nous y attendions le moins.

Nous espérons beaucoup de nos relations amoureuses : guérison, bonheur, sécurité, amitié, reconnaissance... Nous souhaitons aussi que l'autre « répare » notre vie, qu'il nous sorte de notre dépression, qu'il nous apporte des joies indicibles. Nous avons tous le désir ardent de vivre avec l'espoir fou que l'autre nous rendra pleinement heureux. Il ne s'agit pas toujours d'un désir conscient, mais lorsque nous examinons notre système de croyances, nous nous apercevons que ce désir est bien présent. La pensée suivante ne vous a-t-elle jamais traversé l'esprit : « Si seulement j'étais marié, je n'aurais plus aucun problème » ?

Il est légitime de considérer les relations amoureuses comme une expérience merveilleuse, parfois difficile, mais tout à fait souhaitable. Celles-ci nous rappellent le caractère unique et parfait de notre être profond, ainsi que son unité. Les problèmes surgissent lorsque nous sommes persuadés à tort que l'autre pourra nous « réparer ». C'est une vaine illusion qui ressort de la pensée magique. Pourtant, il n'est guère étonnant que tant de gens croient aux contes de fées. N'avons-nous pas grandi dans cet univers ? N'avons-nous pas été encouragés à croire que seuls un Prince charmant ou une Cendrillon pouvaient nous apporter bonheur et équilibre ? En d'autres termes, nous croyons que nous demeurerons inachevés tant que nous n'aurons pas trouvé l'amour de notre vie, comme un puzzle auquel il manque une pièce essentielle.

Croire aux contes de fées est enchanteur, amusant et, dans une certaine mesure, indispensable. Mais trop y croire nous prive de la possibilité de nous rendre *nous-même* plus heureux ou meilleurs, de résoudre par nos propres moyens nos problèmes professionnels, familiaux ou autres. Cette croyance nous berce de l'illusion que la personne aimée nous permettra de trouver l'équilibre, la plénitude et la solution à tous nos problèmes.

Jackson, un ouvrier du bâtiment grand et maigre, vivait du mieux qu'il pouvait après avoir appris qu'il était atteint d'une leucémie. Peu après ce diagnostic, il rencon-

Leçons de vie

tra Anne dont il tomba amoureux. Quelque temps après, ils se marièrent et elle prit grand soin de lui, persuadée qu'il n'en avait plus que pour quelques mois à vivre. Anne était très fière des deux années qu'ils avaient passées ensemble :

— Jamais je ne me serais crue capable d'aimer quelqu'un aussi profondément. J'avais tellement peur de m'engager, mais, aujourd'hui, je sais que j'ai été capable de m'engager de la manière la plus absolue. Jusqu'à ce que je rencontre Jackson, mes histoires d'amour ne duraient jamais plus d'un an. Sa maladie m'a poussée à dépasser toutes mes limites. Mon amour pour Jackson m'a donné un sentiment de plénitude.

Ensuite, il advint ce qui fut à la fois la meilleure et la pire des choses. Après l'échec de nombreux traitements, Jackson dut se résoudre à subir une greffe de moelle osseuse. Ce fut un succès. Il passa soudain de l'état de condamné à mort à celui de personne en parfaite santé. Six mois plus tard, personne n'aurait cru qu'il avait eu une leucémie. Mais à présent, c'était leur relation qui souffrait. Anne avait l'impression d'étouffer. Elle se plaignait de ne plus éprouver de passion. Cette expérience est banale au sein de ce type de couple – où l'un des partenaires est très malade peut-être en fin de vie.

Comprenant qu'Anne n'était plus la même, Jackson voulut mettre les choses au point :

— Tu étais prête à m'aimer jusqu'à ce que la mort nous sépare, mais c'était, semble-t-il, à sens unique. Bon, je ne suis pas mort, et maintenant, nous sommes engagés dans une véritable relation, une union pour la vie. À présent que le couperet ne menace plus de s'abattre sur moi, nous sommes confrontés aux problèmes du quotidien, comme tout le monde. Je suis heureux de ce don de vie que l'on m'a fait, mais, toi, tu réagis comme si tu étais

66

condamnée à perpétuité. Le conte de fées a eu sa conclusion traditionnelle. Je vais donc continuer à vivre, mais le mariage ne constitue en aucune façon une solution magique. Nous devons faire face à nos problèmes et nous confronter à la réalité de la vie de couple. Il est beaucoup plus difficile d'assumer le train-train quotidien quand le « jusqu'à ce que la mort nous sépare » pourrait signifier cinquante ans de vie commune.

Après une période de grande confusion, Anne se décida à entreprendre une thérapie pour essayer de tirer les choses au clair. C'est ainsi qu'elle découvrit qu'il est beaucoup plus facile de s'engager dans une relation où l'on risque de perdre l'autre :

— Jackson avait raison. Encore une fois, je m'étais lourdement trompée. Mon engagement était encore une fois de courte durée. J'ai compris que c'était une chose de jouer les héroïnes, d'être celle qui prend soin d'un homme en phase terminale, et une tout autre d'être sa femme sur le long terme. Je me suis rendu compte que j'utilisais cette relation pour résoudre mes problèmes, pour essayer d'avoir enfin une histoire qui tienne. Grâce au courage de Jackson qui a su rester lui-même et me dire la vérité, j'ai appris que la magie se construira jour après jour au cours de ce long voyage que nous accomplirons ensemble. La maladie de Jackson m'a fait découvrir le sens profond de l'engagement. Après toutes les épreuves que nous avons traversées, j'ai découvert que je l'aimais vraiment. J'ai retrouvé ma passion, mais sans la dramatisation de la vie et de la mort.

Le lien étroit qu'Anne avait établi avec Jackson l'avait poussée à regarder plus profondément en elle-même. Ce fut pour elle une extraordinaire leçon qui lui permit de découvrir et de guérir certains aspects obscurs de son être – une expérience tumultueuse de ce qu'est la vraie vie. Elle a pu ainsi troquer une existence illusoire de conte de fées contre une vraie vie et un véritable amour.

Ce n'est qu'à l'intérieur de vous-même que vous trouverez l'équilibre et la plénitude. Le fait de trouver l'homme ou la femme de votre vie ne résoudra pas vos problèmes relationnels. Cela ne vous rendra pas plus heureux dans votre travail, ne vous assurera ni augmentation de salaire, ni promotion, et ne rendra pas vos voisins plus aimables, ni l'administration plus conciliante. Si vous êtes seul et malheureux, vous serez malheureux dans votre couple. Si vous êtes incapable de vous stabiliser sur le plan professionnel, le fait d'avoir trouvé l'âme sœur ne changera rien. Si vous êtes un mauvais père – ou une mauvaise mère –, vous continuerez à l'être dans votre nouvelle relation, ou si vous aviez le sentiment de n'être rien sans l'homme ou la femme idéal(e), ce sentiment d'inutilité refera surface à un moment ou à un autre. L'équilibre et la plénitude que vous recherchez sont en vous et ne demandent qu'à être découverts.

L'incomplétude, l'incapacité à exprimer son amour, à trouver le bonheur dans sa vie personnelle, sociale et professionnelle sont à l'origine de ces attentes illusoires. La vraie solution consiste à découvrir l'équilibre en soi-même. Au lieu de chercher quelqu'un à aimer, il faut s'efforcer d'être digne d'être aimé. Si l'on a quelqu'un dans sa vie, il faut faire en sorte de mériter son amour, et non en exiger davantage.

Si vous êtes en quête d'amour, sachez qu'un maître sera à votre côté lorsque vous serez prêt pour la leçon. En temps voulu, vous trouverez l'homme ou la femme de votre vie. Il est tout à fait normal de vouloir avoir quelqu'un dans sa vie, mais il y a une différence entre le désir de trouver l'amour et celui de trouver la personne qui comblera ses propres manques. Chacun de nous peut trouver le bonheur et l'épanouissement dans ses relations avec autrui ainsi que la plénitude et l'équilibre en lui-même. Un jour, vous trouverez probablement celui ou celle qui vous convient. Entre-temps, vous êtes digne d'être aimé, tel que vous êtes. Vous méritez d'ores et déjà d'être heureux, d'être un bon ami, d'avoir un travail intéressant et tout ce que la vie peut offrir de meilleur.

N'oubliez jamais que vous êtes un être unique, tout simplement parce que vous existez. Vous êtes un don précieux au monde, que vous ayez réussi ou non, que vous ayez rencontré la personne idéale ou que vous soyez seul. Il est inutile d'attendre que les choses viennent de l'extérieur, car vous êtes d'ores et déjà « complet ». La solution ne réside pas dans une histoire romantique. Que vous soyez marié ou non, si vous souhaitez une pointe de romantisme dans votre vie, aimez d'abord celle que vous menez.

Ceux qui vivent une relation amoureuse ont les mêmes problèmes, mais en sens inverse. Si l'un des partenaires est instable sur le plan affectif, il attirera une personne émotionnellement équilibrée. Si l'un des partenaires a des tendances dominatrices, l'autre aura sans doute une propension à la passivité. Si l'un est toxicomane, l'autre sera probablement son sauveur. Si les deux partenaires sont des anxieux, l'un affrontera sa peur en pratiquant un sport dangereux, tandis que l'autre préférera éviter les ascenseurs. Qui se ressemble s'assemble, mais avec des comportements différents.

Un jour, quelqu'un a expliqué ce phénomène de la manière suivante : « Dans toute relation, il y en a un qui fait les crêpes et l'autre qui les mange. » D'une manière générale, lorsqu'un problème se présente, l'un des partenaires souhaitera prendre les devants, crever l'abcès et trouver une solution, tandis que l'autre préférera aborder les choses différemment, en prenant du recul pour réfléchir. On pense toujours que c'est l'autre qui a un problème et qu'il ne sait pas le gérer. Pourtant, la réalité, c'est que chacun correspond parfaitement à l'autre : l'approche directe par telle femme sera pour son compagnon un révélateur, et son refus à lui de l'affronter aura le même effet sur elle.

D'une certaine manière, nous essayons en permanence de guérir nos blessures inconscientes. Mais, en la matière, les progrès ne sont pas toujours évidents, ni faciles. L'amour vous confrontera à tout ce qui s'oppose à lui, pour que vous en preniez conscience. Si vous aspirez à une vie amoureuse plus heureuse, il n'est pas sûr que l'univers vous envoie le jour même une personne charmante. Au contraire, il se peut fort bien qu'il vous mette en contact avec des êtres déplaisants. En nous efforçant d'accepter l'autre tel qu'il est, nous pourrons apprendre à donner davantage d'amour. Très souvent, les personnes avec lesquelles nous entretenons des relations sont pour nous le meilleur révélateur. Si antipathiques qu'elles puissent être, ces personnes sont sans doute celles dont nous avions le plus besoin. Ceux qui en apparence ne nous conviennent pas du tout peuvent souvent se révéler nos plus grands maîtres.

À la fin de sa vie, Jane, une femme forte au franc-parler, nous révèle son enfance martyre avec un père violent et alcoolique :

« Plus tard, j'ai choisi un mari qui devait, lui aussi, se révéler violent et alcoolique. J'ai fini par le quitter. Avec le recul, je me rends compte que ce mariage, malgré les grandes souffrances que j'ai endurées, a été la meilleure chose qui pouvait m'arriver. J'ai dû me replonger dans les maux de mon enfance. J'ai découvert de nombreuses blessures enfouies que ma relation avec mon mari a fait remonter à la surface. Aujourd'hui, j'éprouve un grand sentiment de reconnaissance pour cela. »

Il en est de même pour les proches que nous n'avons pas choisis, en particulier les membres de notre famille. Nos parents, nos frères et sœurs, et nos enfants – surtout les adolescents – peuvent nous rendre la vie impossible. Si difficiles soient-elles, ces relations sont une source irremplaçable d'enseignements, car nous ne pouvons pas nous couper aussi facilement de notre famille que de nos amis et connaissances. Le plus souvent, nous n'avons d'autre choix que de tenter d'arranger les choses. En fait, la seule solution consiste tout simplement à aimer ses proches tels qu'ils sont.

Tels les galets polis par la mer, nos aspérités s'adoucissent au contact des autres, qui nous permettront de découvrir ce que nous avons besoin d'apprendre.

On pense parfois que, pour être heureux, il suffit de modifier certains aspects d'une relation, qu'il suffit de changer l'autre pour qu'il nous convienne et que nous soyons heureux. Quelle illusion !

Le bonheur ne dépend pas d'une « amélioration » de la relation. Nous ne pouvons changer l'autre, et, de toute façon, cela n'est pas notre rôle. Puisque nous voulons être ce que nous sommes vraiment, pourquoi ne pas laisser l'autre faire de même ?

Nos rapports ne sont pas « bancals ». Et le fait que l'autre ne correspond pas à nos attentes ne signifie pas qu'il soit sans valeur. Toute relation est réciproque, en ce sens que nous sommes le miroir de l'autre. Étant donné que les semblables s'attirent, nous attirons ce qui se trouve au plus profond de nous.

Charles et Kathy sont mariés depuis cinq ans. Charles

71

a bien compris le concept du miroir : « Si ma relation est ennuyeuse, c'est que je m'ennuie, ou pis que je suis ennuyeux. »

Oui, Charles a raison. Mais la bonne nouvelle, c'est que sa prise de conscience rend le problème plus tangible. Se contenter de dire qu'une relation est ennuyeuse n'est pas très constructif et ne résout pas le problème.

Sachez que le problème réside en vous, aussi est-il possible de le découvrir et de le résoudre. Comme nous l'avons dit, il est vain de vouloir changer l'autre, précisément pour cette raison. Nous créons nous-même notre destinée. C'est à nous de tirer les enseignements d'une situation donnée. La plupart du temps, nous préférons nous débarrasser de notre partenaire plutôt que de chercher à résoudre nos difficultés. La relation à l'autre représente une occasion unique de découvrir nos problèmes et la réalité de notre être. Cela ne signifie pas qu'il faille poursuivre à tout prix une relation marquée par la violence. Mais, avant de se séparer, il faut d'abord s'interroger sur les causes : est-ce l'autre, la relation, ou soi-même ?

Un regard trop exigeant sur l'autre nous détourne de notre véritable objet : nous-même. Comme on dit, « Il me faut être vide pour être plein de toi ». La seule personne que nous pouvons contrôler, c'est nous-même. En travaillant sur nous-même, la situation changera d'elle-même. On s'apercevra alors que la relation fonctionne bien, ou au contraire qu'elle ne marche pas et qu'il faut passer à autre chose. Il s'agit toujours d'un travail « intérieur ».

À plusieurs reprises, lorsque nous avons demandé à des gens s'ils aimeraient tomber amoureux, nous avons été surpris par les réponses instantanées et passionnées : « Oh oui, pour toujours ! » Ou bien : « Non, jamais ! Cela voudrait dire abandonner ma carrière, me sacrifier, et toujours chercher à faire plaisir à l'autre. »

La première réponse est douce et totalement irréaliste, mais la seconde est tout aussi inquiétante. Le mot « sacrifice » peut-il vraiment définir l'amour ? Ou bien n'est-ce pas la vision que l'on a inculquée à cette personne durant son enfance ? Nous reproduisons dans nos relations ce que nous avons observé enfant. Le fait d'avoir vécu au sein d'une famille désunie et malheureuse peut modeler notre attitude envers l'amour et les autres pour le reste de nos jours.

Nous devons réfléchir à la relation que nous entretenons et nous poser les questions suivantes : « L'amour que je donne et que je reçois est-il ou non fondé sur la conception que l'on m'a transmise dans mon éducation ? Est-ce là le genre d'amour que je souhaite donner et recevoir ? Est-ce là le genre de relation que jc souhaite poursuivre ? » Si nous percevons l'amour comme quelque chose de compliqué et de douloureux, alors nous devons en chercher la raison.

S'il représente pour nous une suite interminable de complications, c'est que nous l'avons vécu ainsi durant notre enfance.

S'il est pour nous associé à la violence conjugale, c'est probablement parce que nos parents étaient prisonniers d'une relation de ce type.

S'il est pour nous une relation de tendresse et d'affection, là encore c'est probablement une situation vécue durant l'enfance.

Malheureusement, pour certains – trop nombreux, en réalité – l'amour se résume à des tentatives de domination et de manipulation, et parfois même à des manifestations de haine. Mais rien ne nous oblige à rester éternellement prisonniers de schémas aussi négatifs. Nous pouvons redéfinir cette conception. Nous pouvons créer la relation dont nous rêvons. Hélas ! il est rare que nous le fassions. Tout comme certains se séparent de leur partenaire pour ne pas avoir à affronter les vrais problèmes, d'autres préfèrent les ignorer.

Si nous ne mettons pas un terme à une relation bancale, c'est pour deux raisons : parce que nous espérons que l'autre changera, ou bien parce qu'on nous croyons que tout peut s'arranger avec le temps. On le sait bien, il arrive très souvent que les gens reprennent une relation qui avait échoué. Combien de femmes ne sont-elles pas revenues vers un homme qui n'avait jamais voulu s'engager ? Si l'engagement est ce que l'on souhaite profondément, pourquoi choisir quelqu'un qui en est totalement incapable ? C'est un peu comme si l'on voulait puiser de l'eau dans un puits sec.

Le fait de se fourvoyer sans cesse dans ce genre de rapports revient à chercher une aiguille dans une botte de foin : on ne la trouvera jamais. Si vous aspiriez à une relation empreinte de tendresse et d'affection, et que vous ayez choisi un être qui, manifestement, est incapable de vous les offrir, alors il est temps pour vous de chercher quelqu'un d'autre. Ne laissez personne jouer avec votre amour et votre cœur. Et ne laissez pas de vieux schémas modeler votre vie présente. Vous pouvez changer les règles du jeu en apprenant à vous respecter vous-même ainsi que les autres, et en remplaçant vos vieux schémas négatifs par de nouveaux. Vous pouvez définir un nouveau cadre pour l'amour, où l'autre sera reconnu et digne d'être aimé passionnément. Et vous pouvez espérer être traité de la même façon. Votre destin, dans cette vie, ne dépend que de vous.

Une fois ce travail accompli, il vous faut apprendre à aimer sans illusions. Si notre relation est pure, si nous laissons agir l'univers et si nous tirons les enseignements des situations auxquelles nous sommes confrontés, nos relations amoureuses seront alors fondées sur le don, le libre consentement et le partage mutuels. En renonçant à influer sur la relation, on découvre le véritable pouvoir de l'amour, sans illusions. En la matière, il est inutile de planifier, de lutter ou de manipuler. Il faut renoncer une fois pour toutes à ce genre de réflexions : « Si je ne le domine pas, il ne fera pas ce que j'attends de lui », ou bien : « Si je ne change pas quelque chose à notre relation, mon amie ne changera jamais. » Nous devons apprendre à partager nos vérités. Il n'y a rien de mal à discuter avec l'autre d'un comportement qui nous semble insupportable. Mais évoquer un problème pour obtenir quelque chose est une forme de manipulation. Nous devons partager nos expériences et dire notre vérité, mais pas dans le but d'en tirer un bénéfice quelconque.

Tant que nous nous cramponnerons à nos schémas et à nos illusions, nous ne pourrons aimer réellement. Laissons l'autre être ce qu'il est. S'il s'en va, c'est sans doute parce que les choses devaient se passer ainsi.

Vivre chaque jour comme si c'était le dernier nous permet de relativiser les choses. Très souvent, des personnes parfaitement heureuses dans une relation ne peuvent s'empêcher d'assaillir l'autre de réflexions de ce type : « Seras-tu encore là dans vingt ans ? » Peut-être que oui, peut-être que non ; nous n'avons pas à connaître le futur.

Il est plus difficile de vivre sa relation à l'autre ici et maintenant que de se concentrer sur le passé ou sur l'avenir. N'avons-nous pas tendance à reprocher sans cesse à l'autre les mêmes « fautes » d'un lointain passé que l'on a de lui ? Ces souvenirs n'influencent-ils pas encore aujourd'hui l'opinion, même s'il s'est excusé et s'il a changé ? Nos schémas de comportement nous poussent malgré tout à vouloir le punir ou à lui rappeler ses torts. Si nous nous cramponnons à nos vieilles blessures, c'est parce que nous avons renoncé à aimer l'autre. Au lieu de ressasser les mêmes vieilles histoires, nous devrions apprendre à crier « aïe ! » lorsque l'autre nous blesse. Alors, il sera possible d'aller de l'avant.

Lorsqu'on renonce à ses attentes illusoires et à ses schémas de comportement, l'amour prend son envol, en toute liberté. Il va où bon lui semble, et non dans la direction que nous souhaitions, parce que « l'amour n'a pas de loi ». Lorsque nous lâchons prise, il peut nous offrir de merveilleux moments de tendresse.

L'amour est rarement éternel. Certaines histoires d'amour durent cinquante ans, d'autres six mois seulement, et d'autres s'achèvent par la mort de l'un des partenaires. La durée d'une relation ou la façon dont elle prend fin n'indiquent pas que l'on ait fait fausse route. C'est la vie, tout simplement. L'important, c'est de se demander si une relation est intense ou non, et comment on peut l'enrichir.

De même que la mort nous apparaît comme un échec, nous avons le sentiment qu'une relation a échoué si elle ne dure pas. La vérité, c'est que même une relation de six mois peut être réussie et enrichissante. Chaque histoire a sa raison d'être. Lorsqu'elle a accompli sa tâche, on peut dire qu'elle a été un succès.

Malheureusement, on ne se rend pas toujours compte qu'une relation est terminée et réussie. James, qui vivait dans l'illusion que toute relation doit absolument « marcher », nous parle de son expérience :

« Il y a deux ans, mon amie Beth et moi nous sommes séparés. Je n'avais jamais envisagé de faire ma vie avec elle, mais j'ai quand même eu le sentiment que notre relation avait été un échec. J'étais blessé, amer et triste, et il en était de même pour elle. Il y a un mois, environ, j'ai rencontré par hasard des amis et collègues de Beth. J'ai aussitôt eu l'impression que c'était un signe. Peut-être devais-je la rappeler, peut-être notre histoire n'était-elle pas finie ? C'est ainsi que je l'ai contactée et que nous avons décidé de dîner ensemble. Pendant le repas, nous n'avons jamais évoqué l'éventualité de renouer. Nous nous sommes dit que nous avions beaucoup appris l'un de l'autre et que ce que nous avions vécu ensemble nous permettrait de mieux aborder nos prochaines relations. D'une manière tout à fait surprenante, à la fin de cette soirée, non seulement je n'avais plus l'impression que notre relation avait été un échec, mais je la considérais comme riche et réussie. »

Certaines personnes réapparaissent dans notre existence. Parfois, cela est dû au fait que l'histoire n'était pas finie et qu'il y avait encore des problèmes à résoudre. Toutefois, il arrive qu'une relation reprenne, non pas parce qu'elle est *inachevée*, mais parce qu'elle n'est pas terminée dans notre esprit. Il reste alors un travail à effectuer pour pouvoir en faire le deuil. Il suffit parfois pour cela de cesser de la considérer comme un échec.

Il n'y a pas d'erreurs en amour. La relation se déroule comme elle l'aurait dû. Depuis la première rencontre jusqu'au dernier adieu, nous sommes liés à l'autre. C'est à travers lui que nous apprenons à découvrir notre âme, sa topographie si riche, et à nous consacrer à notre guérison. En nous débarrassant de nos préjugés sur l'amour, nous nous débarrassons en même temps de ces questions obsédantes : « Sur qui vais-je tomber la prochaine fois ? Combien de temps cela durera-t-il ? » Nous transcendons alors ce cadre réducteur pour trouver un amour magique créé uniquement pour nous par un pouvoir supérieur.

4

LA LEÇON DU DEUIL

• EKR

Un étudiant en psychologie qui préparait son doctorat était profondément perturbé à l'idée de perdre son grand-père gravement malade, car cet homme s'était beaucoup occupé de lui. Il lui fallait décider de prendre ou non un congé sabbatique pour passer davantage de temps auprès de son grand-père, et cela le tourmentait profondément. D'un autre côté, il avait aussi fortement envie de terminer son année universitaire, car cette dernière était capitale pour sa formation : « Ce que j'apprends en ce moment à l'université m'aide vraiment à grandir. »

Je lui ai répondu : « Si vous voulez réellement apprendre et grandir, l'école de la vie vous propose un cours intitulé "le deuil". »

79

En fin de compte, nous sommes amenés à perdre tout ce que nous possédons, mais la seule chose qui compte vraiment ne peut jamais être perdue. Maison, voiture, emploi, argent, jeunesse, et même les êtres qui nous sont chers ne nous appartiennent pas pour toujours. Mais prendre conscience de cela ne doit pas nous attrister. Bien au contraire, cela devrait nous permettre d'apprécier d'autant plus les merveilleuses expériences que la vie nous offre.

Si l'existence est une école, le deuil constitue une grande partie du programme scolaire. Lorsque nous perdons un être cher, nous nous apercevons que nos proches – et parfois même de parfaits inconnus – se tiennent à notre côté pour nous soutenir dans ces moments difficiles. Ce genre d'événement est comme une faille dans notre cœur. Mais c'est une faille qui suscite un amour réciproque.

Nous arrivons sur terre en proie à la douloureuse nostalgie du ventre maternel, cet univers parfait où nous avons été conçus. Nous nous retrouvons dans un monde où nous ne sommes pas toujours nourris lorsque nous avons faim, où nous ne savons pas si maman va revenir près du berceau. Heureux dans les bras de nos parents, nous nous retrouvons soudain tout seuls. Plus tard, nous perdons de vue des copains parce qu'ils ont déménagé, nous égarons ou cassons nos jouets, et nous perdons même des matchs de football ! Ensuite, vient le temps des premières amours, qui en général durent peu de temps. Et cette série de deuils ne fait que commencer. Dans les années qui suivront, nous perdrons des professeurs, des amis et nos rêves d'enfant.

Tout ce qui est immatériel – rêves, jeunesse, indépendance – finira inéluctablement par disparaître. Tous nos biens ne sont pas réellement nôtres. Nous ont-ils jamais vraiment appartenu ? Notre condition ici-bas est éphémère, tout comme la moindre de nos possessions. Tout est provisoire. Il est impossible de trouver une quelconque permanence, et l'on finit par se rendre compte qu'aucune possession ne peut procurer de sentiment de sécurité. De même, il est vain de lutter contre le sentiment de perte.

Cette vision de l'existence nous déplaît. Nous aimons penser que nous sommes immortels, tout comme les biens matériels. Et nous ne voulons en aucun cas regarder en face la perte absolue, la mort elle-même. Il est stupéfiant de voir les faux-semblants auxquels ont recours les familles des mourants. Elles ne veulent pas évoquer leurs tourments, et encore moins en parler au malade. Le personnel de l'hôpital ne veut rien dire non plus aux patients. Comme il est naïf de croire que ceux-ci puissent être inconscients de leur état et qu'on puisse les aider en leur dissimulant la vérité ! Les patients en phase terminale se tournent souvent vers les membres de leur famille pour leur dire : « N'essayez pas de me cacher la vérité. Ne réalisez-vous pas que chaque créature vivante me rappelle que je suis en train de mourir ? »

Les mourants ont conscience de la valeur de ce qu'ils vont perdre. Ce sont les personnes en bonne santé qui se bercent d'illusions.

• DK

J'ai éprouvé pour la première fois l'angoisse d'une fin possible la nuit où j'ai été réveillé par de terribles douleurs abdominales. J'ai tout de suite compris que c'était grave : cette crise n'avait rien à voir avec un banal mal d'estomac. Je suis allé voir mon médecin, qui m'a prescrit un antiacide et m'a suggéré de me faire suivre. Trois jours plus tard – c'était un jeudi – la douleur a empiré, aussi mon médecin décida-t-il d'examiner cela de plus près. Il me fit admettre à l'hôpital pour une série d'examens, en particulier celui du transit gastroduodénal, pour vérifier si tout allait bien de ce côté-là.

Dans la salle de réveil, le médecin m'annonça qu'il avait découvert une tumeur qui obstruait partiellement le côlon.

— Est-ce que je vais être opéré ? lui demandai-je en proie à une vive inquiétude.

— J'ai fait une biopsie que j'ai envoyée au laboratoire. Nous saurons lundi à quoi nous en tenir.

Je savais que cette tumeur pouvait tout aussi bien être bénigne que maligne, mais je ne pouvais m'empêcher de penser avec anxiété à mon père, mort d'un cancer du côlon. Durant ces quatre jours atroces où j'ai attendu les résultats de l'examen, j'ai pleuré la perte de ce sentiment d'invulnérabilité propre à la jeunesse, la perte de ma santé et peut-être celle de ma vie. La tumeur s'est révélée bénigne, mais le sentiment de perte éprouvé durant ces quelques jours avait été très profond.

La plupart d'entre nous refusent le sentiment de perte durant leur vie, car ils ne comprennent pas que celui-ci en fait intrinsèquement partie. La vie ne peut être changée et nous ne pouvons grandir sans éprouver ce sentiment. Un vieux proverbe juif dit ceci : « Et tu danses à de nombreux mariages, tu pleureras à de nombreux enterrements. » Cela signifie que, si vous assistez à beaucoup de commencements, vous verrez aussi de nombreux dénouements. Plus vous aurez d'amis, plus vous connaîtrez de deuils.

Si vous éprouvez fortement le sentiment de perte, c'est simplement parce que vous avez été vraiment comblé par la vie. Les deuils qui nous frappent peuvent être petits ou grands, depuis la perte d'un carnet d'adresses jusqu'à la disparition d'un parent. Les deuils peuvent être définitifs, comme la mort, ou temporaires, comme lorsque vos enfants vous manquent en voyage d'affaires. La confrontation au sentiment de perte, sérieux ou futile, permanent ou temporaire, se décline en cinq phases psychologiques différentes. Imaginez que votre enfant soit né aveugle. Vous pourriez réagir ainsi.

Le refus : « Le docteur dit qu'il ne peut pas suivre les objets avec ses yeux. Ce n'est pas possible. Qu'on lui laisse le temps, il en sera capable quand il sera plus âgé. »

La colère : « Les médecins auraient dû découvrir cela plus tôt ! Pourquoi Dieu nous accable-t-il ainsi ? »

Le marchandage : « Je pourrais gérer la situation si le petit était capable de suivre sa scolarité et si plus tard il était en mesure de se prendre en charge lui-même. »

La dépression : « C'est terrible, il va être handicapé toute sa vie. »

L'acceptation : « Nous affronterons les problèmes comme ils se présentent, et notre enfant peut très bien avoir une vie enrichissante, pleine d'amour. »

À un niveau beaucoup plus futile, imaginez que vous ayez perdu vos lentilles de contact. Vous pourriez réagir de la manière suivante :

Le refus : « Je n'arrive pas à croire que je les ai perdues ! »

La colère : « Bon sang de bon sang ! J'aurais dû faire plus attention. »

Le marchandage : « Si je les retrouve, à l'avenir, je ferai beaucoup plus attention. »

La dépression : « Je suis tellement triste d'avoir perdu mes lentilles. Maintenant je vais être obligé d'en acheter de nouvelles. »

L'acceptation : « Bon après tout, il fallait bien que je les perde un jour ou l'autre. Demain, j'irai en commander une nouvelle paire. »

Tout le monde ne passe pas par ces cinq étapes à chaque accident de la vie, et les réactions ne suivent pas toujours le même ordre, certains stades pouvant même être vécus à plusieurs reprises. Quoi qu'il en soit, nous devons faire face durant notre existence à toutes sortes de deuils qui nous forcent à réagir. Plus on a l'expérience du détachement, mieux on est armé pour affronter la vie.

Les réactions émotionnelles, face à un deuil, sont exactement comme elles auraient dû être. Nous sommes très mal placés pour dire à quelqu'un : « Ta période de refus dure trop longtemps. Il est temps que tu passes à la colère », ou autre réflexion de ce genre, car nous ignorons tout du processus de guérison de cette personne. Le deuil est ce qu'il est. Il suscite en nous des sentiments de vide, d'impuissance, de paralysie, d'inutilité, de colère, de tristesse et de peur. Nous perdons le sommeil, ou bien nous dormons tout le temps. Nous n'avons plus d'appétit, ou bien nous mangeons comme quatre. Nous pouvons aller d'un extrême à l'autre, ou passer par n'importe quel état intermédiaire. La voie que nous choisissons, quelle qu'elle soit, fait partie du processus de guérison.

La seule certitude concernant le deuil est que le temps guérit tout. Malheureusement, le processus de guérison n'est pas toujours linéaire. Il ne suit pas la courbe ascendante d'un graphique. Il ne faut pas s'attendre à ce qu'il soit rapide et paisible. Ce processus ressemble davantage à des montagnes russes : on passe du mieux être au désespoir le plus profond. On croit régresser alors qu'en réalité, on a franchi une étape importante, et ainsi de suite. C'est cela, le processus de guérison. Vous ne retrouverez sans doute pas ce que vous avez perdu, mais vous retrouverez la sérénité. Tôt ou tard, vous réaliserez que celui ou ce que vous pleuriez est différent de ce que vous imaginiez. Et vous verrez qu'ils sont toujours présents, mais d'une autre manière.

Nous aspirons à la plénitude. Nous espérons pouvoir garder les gens et les choses tels qu'ils sont, mais nous savons que c'est impossible. Le deuil est la leçon la plus difficile. Nous nous efforçons de le rendre supportable, parfois même romantique, mais il n'en reste pas moins que la perte d'une personne ou d'un objet aimés est l'une des expériences les plus douloureuses qui soient. L'absence ne nous rend pas forcément plus tendres et indulgents ; parfois elle suscite en nous des sentiments de tristesse, de solitude et de vide.

De même que le bien ne se conçoit pas sans le mal, ou la lumière sans ombre, il n'y a pas d'évolution sans deuil. Et inversement, si étrange que cela paraisse. L'idée est difficile à accepter, et c'est sans doute la raison pour laquelle elle nous déconcerte toujours.

Les parents qui ont perdu un enfant sont sans doute ceux qui ont le mieux compris ce concept. Ils disent que ce drame les a anéantis, ce qui est compréhensible. Toutefois, des années plus tard, certains d'entre eux affirment que cette tragédie les a transformés. Bien sûr, ils auraient préféré que celle-ci n'ait pas eu lieu, mais ils se rendent compte que ce deuil les a aidés d'une manière tout à fait inattendue, qu'il vaut mieux avoir aimé et perdu un être cher plutôt que de ne pas avoir aimé du tout.

À première vue, il peut paraître difficile de comprendre comment l'épreuve du deuil peut nous transformer. Pourtant, ceux qui l'ont vécu deviennent finalement plus forts, plus équilibrés.

• À la cinquantaine, même si l'on a perdu quelques cheveux, on comprend pourtant que l'être intérieur est aussi important que l'apparence.

• La retraite s'accompagne souvent d'une baisse des revenus, mais aussi d'une liberté accrue.

• Quand vient la vieillesse, on perd un peu de son indépendance, mais l'on reçoit aussi un peu de l'amour que l'on avait donné aux autres.

• Parfois, la perte d'un bien matériel permet, après la période de « deuil », de se sentir libéré. On réalise que ces biens étaient comme des boulets qui entravaient son évolution.

• La fin d'une relation permet parfois de découvrir qui l'on est véritablement, en dehors du rapport à l'autre.

• La perte d'un objet ou d'un savoir-faire permet de mesurer la valeur de ce que l'on possède encore.

• EKR

La disparition d'un être aimé, la perspective de sa propre mort, la perte de sa maison ou de son emploi sont autant de causes de deuil. Dans ces circonstances, on s'aperçoit que les petites choses de la vie peuvent prendre une importance démesurée. Aujourd'hui, je suis certes clouée au lit, mais j'éprouve un sentiment de reconnaissance en réalisant que ma situation aurait pu être bien pire. En effet, je jouis toujours de certaines facultés que la plupart d'entre nous considèrent comme naturelles. Grâce à mon fauteuil hygiénique, je peux au moins faire pipi toute seule. Pour moi, c'eût été une perte énorme que d'être dans l'incapacité d'aller aux toilettes, ou de prendre un bain toute seule. Voilà, je suis tout simplement reconnaissante de pouvoir encore faire ces choses moi-même.

La mort d'un être cher est certainement une expérience accablante. Toutefois, il est intéressant de noter que la plupart des gens divorcés trouvent la séparation encore plus douloureuse que le décès d'un proche. L'impossibilité de vivre avec l'être aimé, alors qu'il poursuit son existence, peut entraîner beaucoup plus de souffrances que cette séparation permanente qu'est la mort. Au moins, les morts restent toujours présents dans notre cœur ou dans nos souvenirs.

Les malades en fin de vie ont beaucoup à nous apprendre, en particulier ceux qui, après avoir été déclarés cliniquement morts, ont pu confier leurs propres impressions. La plupart d'entre eux prétendent qu'ils ne craignent plus la mort après cette expérience, et que celle-ci n'est que la perte du corps physique, un peu comme si l'on se débarrassait d'un vieux costume dont on n'a plus besoin. Ils se souviennent d'avoir éprouvé un profond sentiment de plénitude dans la mort, la sensation d'être relié à tout être et à toute chose, et de n'avoir pas éprouvé de sentiment de perte. Enfin, ils affirment n'avoir jamais été seuls, car un être spirituel se trouvait avec eux.

● EKR

Un homme d'une trentaine d'années me dit que sa femme l'avait quitté alors que rien ne le laissait prévoir. Complètement abattu, il évoqua l'angoisse qui le tenaillait, puis leva les yeux et me demanda :
— Alors, c'est ça le tourment du manque ? J'ai beaucoup d'amis qui ont perdu un être aimé à la suite d'un divorce, d'une séparation ou d'un décès. Ils étaient tristes et m'ont confié à quel point ils souffraient, mais je ne me rendais pas compte de ce qu'ils ressentaient. Maintenant que je le sais, j'aimerais retrouver ces gens pour leur dire : « Je suis désolé, je n'avais aucune idée de ce que vous éprouviez. » J'ai mûri et je suis beaucoup plus sensible à la souffrance des autres. À l'avenir, lorsqu'un ami sera confronté à un deuil, je me comporterai tout à fait différemment et, grâce à mon expérience, je pourrai lui venir en aide.

C'est l'une des raisons d'être du deuil : il établit des liens puissants entre les êtres. Il permet de mieux nous comprendre les uns les autres. Il nous unit d'une manière telle qu'aucun autre enseignement de la vie ne pourrait le faire. Cette expérience nous rapproche et nous pousse à prendre soin les uns des autres d'une manière totalement nouvelle.

L'incertitude quant au sort qui nous est réservé est aussi difficile à accepter que le deuil. Ainsi, les patients disent souvent : « Si seulement je savais si mon état va s'améliorer ou si je vais mourir ! », ou bien : « L'attente des résultats des examens est un véritable cauchemar. »

Un couple en difficulté se plaignait de ce que leur séparation était en train de les détruire : « Si au moins nous pouvions nous décider : reprendre notre relation ou y mettre un terme une fois pour toutes. »

La vie nous plonge parfois dans les limbes de l'incertitude à propos d'un deuil possible. Nous attendons des heures durant pour savoir si l'opération s'est bien passée, plusieurs jours pour connaître les résultats d'examens médicaux, et un temps indéterminé pendant l'évolution de la maladie d'un proche. La disparition d'un enfant plonge les familles dans une terrible incertitude pendant des heures, des jours, des semaines ou plus. Il en est de même pour les proches des soldats disparus au combat. Des décennies plus tard, beaucoup d'entre eux sont toujours dans le même état d'angoisse. Ils ne trouveront pas la paix tant qu'ils ignoreront le sort de leurs proches. Mais cette nouvelle, bonne ou mauvaise, peut très bien ne jamais leur parvenir. La nation américaine a éprouvé les affres de l'angoisse lorsque l'avion de John F. Kennedy Junior disparut pendant plusieurs jours. Si les autorités – locales et fédérales – mirent tout en œuvre pour découvrir ce qui s'était passé, c'est aussi parce que cette incertitude était intolérable.

Vivre dans l'incertitude d'un possible deuil est en soi un deuil. Quelle que soit l'issue, cela reste un deuil qu'il faut gérer.

• DK

Je me souviens parfaitement de mon père : son visage intelligent, l'étincelle qui brillait son regard, son sourire chaleureux et la montre en or qui semblait faire partie de son poignet. J'ai toujours vu papa avec cette montre et il savait que je l'adorais.

Il y a des années de cela, je m'étais assis au chevet de mon père mourant. Les larmes aux yeux, je le regardai.

— Je ne sais pas comment te dire au revoir, lui déclarai-je.

— Moi non plus. Mais je sais qu'il faut que je te dise au revoir, ainsi qu'à tout ce que j'ai aimé durant ma vie, depuis ton visage jusqu'à ma maison. La nuit dernière, j'ai même dit au revoir aux étoiles à travers la fenêtre. Tiens, prends ma montre, ajouta-t-il en désignant son poignet.

— Non, papa, tu l'as toujours portée.

— Peut-être, mais il est temps de lui faire mes adieux, et c'est à toi de la porter, maintenant.

J'ai retiré doucement la montre de son poignet et l'ai fixée au mien. Alors que je la contemplais, mon père m'affirma : « Un jour, toi aussi tu devras lui dire au revoir. »

Ces mots sont restés gravés dans ma mémoire. Cette montre demeure pour moi un rappel tendre et triste à la fois de la précarité des choses et de la vie. Je m'en sépare rarement. Il y a un mois, environ, après une journée trépidante, je suis allé à la salle de gym avec un ami. Puis j'ai pris une douche, je suis rentré à la maison, j'ai travaillé un peu au jardin, j'ai repris une douche et me suis habillé pour passer la soirée en ville. Au moment d'aller me coucher, ce soir-là, je me suis aperçu que ma montre avait disparu. Je l'ai cherchée un peu partout pendant plusieurs jours.

J'avais deux préoccupations en tête : d'une part la perte de cette montre qui était si fortement liée à l'image paternelle et à mon enfance, de l'autre, la leçon sur le deuil que mon père m'avait enseignée. Je savais qu'un jour je perdrais cette montre, en raison de ma propre mort ou d'autres circonstances. Il m'a fallu réfléchir en profondeur sur l'impermanence des choses, sur le fait que rien ne nous est donné pour toujours. Le temps passant, ce concept m'est devenu familier et j'ai fini par accepter cette perte. Au lieu de me focaliser sur elle, j'ai trouvé d'autres moyens de maintenir un lien avec mon père et avec mon enfance. J'avais définitivement intégré le message de mon père : moi aussi, il me faudrait un jour dire au revoir à toute chose.

Trois mois plus tard, j'ai renversé un verre d'eau sur ma table de nuit. En me penchant pour la nettoyer, j'ai retrouvé ma montre. Elle était tombée sous le lit. Elle est à présent de nouveau à mon poignet, mais j'ai vraiment compris que toutes nos possessions sont temporaires, et qu'en leur disant adieu, nous trouverons en nous quelque chose que nous ne pourrons jamais perdre.

Si nous sommes tant attachés à nos objets, ce n'est pas en raison de leur nature, mais de ce qu'ils représentent pour nous, qui nous est acquis pour toujours.

Le deuil, phénomène complexe, se produit rarement par hasard, et personne ne peut prédire sa réaction dans ces circonstances. Le chagrin est une affaire personnelle. Les sentiments peuvent être conflictuels, différés ou accablants.

Le deuil – même éventuel – affecte de nombreuses personnes : la famille, les amis, les collègues et l'équipe médicale qui prend soin du patient. Tout le monde souffre, y compris les animaux de compagnie. Tous éprouvent un sentiment de perte qui peut soit séparer, soit unir.

Lors d'un séminaire, une femme nous confia à quel point elle souffrait de son divorce. Il est intéressant de remarquer que ses problèmes avaient commencé alors que son mari luttait contre un cancer :

— La nuit, je restais éveillée pour surveiller sa respiration, expliqua-t-elle tranquillement. L'idée de le perdre m'accablait. Je me demandais en permanence ce que je ferais le jour où il cesserait de respirer. Cette perspective m'était vraiment insupportable. J'ai fait alors une dépression nerveuse et, dévorée par un terrible sentiment de culpabilité, j'ai fini par le quitter. Aujourd'hui, les années ont passé, et il est en parfaite santé. Ces événements m'ont fait comprendre que, lorsque quelqu'un est gravement malade, toute l'attention est concentrée sur lui, sur ce qu'il fait, sur ce qu'il ressent, sur la bonne marche du traitement, etc. J'ai réalisé que je me sentais coupable d'avoir mes propres sentiments, mes propres peurs. Il ne m'était jamais venu à l'esprit de dire : « Et moi alors, dans tout ça ! » J'aurais eu l'impression d'être un monstre d'égoïsme. Ce n'était pas moi qui étais malade. Comment aurais-je pu demander de l'aide alors qu'il était en train de mourir ? Alors je me suis tue jusqu'à ce que je craque.

La leçon du deuil

La douleur est encore plus confuse lorsqu'un proche est victime d'une catastrophe, d'un meurtre ou d'une épidémie. On peut se retrouver « distrait » par la colère suscitée par les circonstances du décès, par sa soudaineté... Tout cela montre bien la complexité du deuil.

• DK

    Dans les années 80, à l'époque où l'on commençait à parler du sida, Edward perdit vingt de ses proches. Pourtant, le chagrin qu'il éprouvait lui semblait trop faible.
    — J'aimais beaucoup mes amis. Comment se fait-il que je sois aussi peu affecté par leur mort ?
    Au cours des quinze années qui suivirent, il fut profondément perturbé par son « indifférence » envers tous ces gens qu'il avait aimés et perdus. Et puis, une nuit, il s'est brusquement réveillé en proie à une angoisse incontrôlable. Il s'est mis à rechercher frénétiquement les photos de ces vingt personnes. Tout d'un coup, un immense chagrin l'envahit. Il était à présent suffisamment fort pour commencer à faire son deuil, pour prendre conscience de tous ces sentiments qui avaient été « mis de côté » jusqu'à ce qu'il soit capable de les affronter.

Chacun vit son deuil à sa manière et à son rythme. La phase du refus est une merveilleuse faveur qui nous est accordée. Nous éprouverons notre chagrin en temps voulu. Il n'attend que le moment opportun pour se révéler. Ce phénomène concerne particulièrement les enfants ou les adolescents qui ont perdu un parent. Souvent, ils ne ressentent la tristesse que lorsqu'ils sont capables de l'assumer, à l'âge adulte.

On ne peut échapper à son passé. La manifestation du chagrin est souvent en suspens jusqu'à ce que nous soyons prêts à l'accepter. Parfois, un nouveau deuil ravive le souvenir d'une perte plus ancienne.

Comme beaucoup d'autres jeunes femmes mariées à des soldats au cours des années 40, Maurine fut anéantie lorsqu'elle reçut un télégramme du ministère de la Guerre lui annonçant le décès de son mari.

Roland et elle s'étaient connus à l'université et s'étaient unis précipitamment avant son appel sous les drapeaux, quelques semaines avant le bombardement de Pearl Harbor. Quelques mois plus tard, après avoir achevé sa formation de pilote de combat, il embarquait vers le théâtre des opérations. Puis, ce télégramme était arrivé.

Au lieu de pleurer son époux, la jeune veuve âgée de vingt et un ans partit aussitôt recommencer sa vie dans un autre État où elle trouva rapidement un travail. Deux ans plus tard, Maurine se remariait. Au cours des quelques années qui suivirent, elle donna naissance à trois filles. Elle avait relégué cet épisode tragique au fond de sa mémoire. Elle en avait parlé à son nouveau conjoint, mais ses enfants et ses nouveaux amis ignoraient tout de Roland. Elle n'avait conservé aucune photo de lui et avait rompu tout contact avec la famille et les anciens amis de son mari.

Cinquante années passèrent. Son second époux tomba malade et mourut, et c'est alors seulement que le chagrin causé par le premier deuil refit surface et se confondit avec la douleur causée par le second. Pour surmonter sa peine, elle réalisa deux photomontages qu'elle accrocha sur le mur du séjour : l'un concernait son premier amour, l'autre son second. Ce travail lui permit finalement de démêler les sentiments confus que ces deux morts avaient suscités en elle.

La perte d'un être aimé suscite souvent des émotions contradictoires, surtout en ce qui concerne un parent pour lequel on éprouvait des sentiments mitigés. Il est en effet très difficile d'éprouver du chagrin pour quelqu'un que l'on n'aimait pas vraiment.

« Ma mère était si dure avec moi, dit une femme. C'était littéralement un tyran. Pourquoi sa mort m'affecterait-elle ? »

Dans un film récent tiré du célèbre roman de Mary Shelley, *Frankenstein*, le Dr Frankenstein donne vie au célèbre monstre sans la moindre considération pour le bonheur ou l'avenir de cette créature qu'il voue à la détresse et aux tourments. À la fin du film, lorsque le Dr Frankenstein est finalement tué, on découvre le monstre en train de pleurer. Lorsqu'on lui demande pourquoi il regrette un homme qui lui avait causé tant de souffrances, il répond simplement : « C'était mon père. »

Nous pleurons ceux qui se sont bien occupés de nous, mais aussi ceux qui ne nous ont pas donné l'amour que nous méritions. J'ai constaté ce phénomène à de multiples reprises : à l'hôpital, l'enfant battu réclame sa mère, incarcérée pour maltraitance. Nous pouvons tout à fait éprouver de la compassion pour des gens qui se sont comportés de manière abominable envers nous. Pourquoi ne pas le faire ? Nous devons prendre le temps de vivre notre deuil, de l'accepter, même si le défunt ne méritait pas notre amour.

Qu'un deuil soit complexe ou non, nous guérirons tous un jour, à notre manière et en temps voulu. Personne ne peut prétendre que ce processus de guérison est trop long ou trop court. Le chagrin est un sentiment profondément individuel. Tant que nous avançons, tant que nous ne sommes pas bloqués sur le chemin de la vie, nous allons vers la guérison.

Fréquemment, notre inconscient réactive un chagrin parce que le travail de deuil est inachevé. Si ce dernier s'est mal passé, il favorise les mécanismes d'autoprotection : on adopte une attitude de détachement, de refus, on s'efforce de panser les blessures des autres afin de ne pas ressentir les siennes. On veut devenir « autonome » afin de ne plus dépendre de personne.

● EKR

À l'âge de cinq ans, Gillian fut abandonnée par ses parents sous le porche d'un orphelinat. Elle était trop petite pour comprendre ce qui se passait. Aujourd'hui, c'est une femme d'une cinquantaine d'années, brillante, équilibrée et indépendante. Elle a évoqué devant moi cet épisode douloureux. Elle me dit qu'elle a passé le plus clair de sa vie à essayer de guérir cette blessure, mais qu'elle a récemment pris conscience d'un problème bien plus profond :

— Le traumatisme que j'ai vécu était particulièrement grave, mais cet événement remonte à plus de quarante ans. Je me rends compte que, depuis vingt ans, personne ne m'a niée comme je le fais moi-même.

— Que voulez-vous dire ?

— Eh bien, par exemple, j'espère fortement que quelqu'un va m'appeler pour sortir le week-end, mais ensuite, soit je branche mon répondeur, soit, quand je réponds, je m'empresse de dire à mon interlocuteur que je suis très occupée. Je ne veux pas qu'il se rende compte à quel point je me sens seule. Je ne lui laisse pas l'occasion de m'inviter. Et, lorsque j'ai l'occasion de partir en vacances, je m'arrange d'une manière ou d'une autre pour avoir autre chose à faire. Je me retrouve alors isolée, persuadée que personne ne s'intéresse à moi.

Comment expliquer ce comportement ?

Inconsciemment, nous avons tendance à nous mettre dans des situations qui réveillent nos anciens traumatismes afin de pouvoir les surmonter et guérir. Gillian achève son processus de guérison. Gillian commence à comprendre qu'à présent c'est à elle de se prendre en charge : « Je suis aujourd'hui une femme de quarante-huit ans, une adulte, et non une petite fille abandonnée dans un orphelinat. Les enfants peuvent être victimes de maltraitance, mais je n'en suis plus un. C'est à moi de construire ma vie comme je l'entends. »

Pourquoi continuons-nous à voir des gens qui nous ont abandonnés ? Je pense que l'univers a placé ces gens sur notre route pour nous aider à surmonter une épreuve. Un jour, la guérison survient. En fait, elle est déjà en cours.

Parfois, la prise de conscience du caractère inéluctable du deuil et de la séparation peut permettre la guérison d'un ancien traumatisme. En refoulant notre chagrin, nous ne faisons que le renforcer. Nous croyons qu'en maintenant nos distances avec les autres nous éviterons la souffrance de la séparation, mais cette attitude est en elle-même une séparation.

Un couple marié traversait une période difficile. Ils voulaient tous deux avoir un enfant, mais la femme remettait sans cesse ce projet à plus tard. Finalement, on apprit que la mère, le père, le grand-père et la grand-mère de cette femme étaient morts d'un cancer. Elle comprit qu'elle ne voulait pas d'enfants parce qu'elle avait très peur de les perdre, ou de mourir et de les laisser sans mère. De même qu'il est impossible de connaître le futur, il est impossible de se prémunir contre le deuil et la séparation.

Cette femme pourrait avoir recours à l'adoption : elle diminuerait ainsi le risque d'avoir un enfant cancéreux. Mais comment pourrait-elle se prémunir contre toutes les autres maladies héréditaires, ou contre la possibilité d'un accident de la route ?

Elle pourrait aussi prendre toutes les précautions possibles et imaginables contre le cancer : manger sainement et faire de l'exercice, ou subir régulièrement des examens médicaux. Mais supposons qu'elle meure, victime d'un tremblement de terre, d'un accident, ou bien encore d'un hold-up ? Un monde sans deuil n'existe pas. Cette femme prit conscience que tout cela pouvait arriver, mais restait fort improbable. Elle comprit que l'on peut s'épanouir dans un monde imparfait, parfois inquiétant, et décida d'avoir un enfant.

Les situations de ce genre correspondent en réalité à un processus de guérison de nos peurs. En réveillant une vieille blessure, elles permettent de retrouver la plénitude et l'équilibre.

Le deuil est souvent une initiation à l'âge adulte. Il fait de nous des hommes et des femmes authentiques. Il est un « droit de passage », à travers les épreuves, vers l'autre côté de la vie.

• DK

Un jour, alors que j'étais encore un jeune garçon, ma mère fit une chute en sortant de l'hôpital. Je lui ai aussitôt conseillé d'y retourner. Elle a baissé les yeux sur mon petit visage apeuré et m'a dit : « Les gens tombent, mais grâce à Dieu, ils peuvent toujours se relever. C'est la vie. »

Le deuil est semblable à une chute. Il est une sorte d'archétype, qu'il s'agisse de la perte d'un être ou d'un objet, de l'équilibre ou de la grâce. Les épreuves nous transforment, car quelque chose de nouveau émerge de ces souffrances, un diamant poli. Le deuil affecte la société, les familles et les individus. Dans un premier temps, la famille est anéantie. Elle est « démembrée ». Après le deuil, elle est « re-membrée ».

Le processus du deuil comporte plusieurs étapes. Vous les franchirez toutes quand vous serez prêt. En attendant, laissez s'exprimer la grâce du refus, en sachant que vous éprouverez votre chagrin en temps voulu, que la seule façon de le surmonter est de le vivre. Vous le comprendrez lorsque vous serez prêt. Cette phase ne survient souvent que des années plus tard. Vous découvrirez que vous pouvez accepter un monde où le deuil est inéluctable.

En observant les patients atteints d'un mal incurable, on découvre une symbolique très forte. Au début, ils se prennent volontiers en photo, comme pour dire « J'étais vivant ». Par la suite, au fur et à mesure que leur maladie progresse, ils atteignent un autre niveau de conscience et cessent de se prendre en photo. Ils ont compris que même les photos ne durent pas : dans le meilleur des cas, elles finissent entre les mains de gens pour qui ils sont de parfaits inconnus. Ces mourants réalisent alors que la seule chose qui importe, c'est leur cœur et celui de leurs proches. Ils découvrent cet aspect du sentiment de perte que l'on peut transcender. Sachez que les parties authentiques de votre être ne meurent jamais, que ce qui importe vraiment est éternel et vous appartient pour toujours. L'amour que vous avez reçu et celui que vous avez donné ne peuvent être perdus.

• DK

Un soir, tard, je me trouvais dans le service de cancérologie d'un hôpital où j'étais venu voir un patient. Là, j'ai rencontré une infirmière profondément affligée parce que l'un de ses malades venait de décéder.

— C'est la sixième personne que je vois mourir en une semaine ! Je n'en peux plus. Ces morts à répétition... J'ai l'impression que ça n'en finira jamais.

J'ai demandé à cette infirmière si consciencieuse si elle pouvait se libérer un petit moment pour faire quelques pas en ma compagnie. Sans même attendre sa réponse, je l'ai prise par la main et nous avons traversé un pont pour rejoindre une autre aile de l'hôpital. Nous sommes alors entrés dans la maternité, et je l'ai emmenée devant la baie vitrée qui nous séparait des nouveau-nés. J'ai observé son visage pendant qu'elle regardait ces toutes jeunes vies. On aurait dit qu'elle n'avait jamais vu pareil spectacle.

— Avec le métier que vous faites, lui dis-je, il

serait bon que vous veniez souvent ici pour vous rappeler que la vie n'est pas faite que de deuils.

Même lorsqu'on a une conscience très aiguë de la réalité de la mort, on sait que la vie continue. Malgré tous les deuils et toutes les séparations qui nous affectent durant notre existence, il est facile de constater la permanence de la vie. Cette infirmière considérait son travail comme un deuil permanent. Elle a maintenant compris que son rôle consistait à aider les gens à conclure une existence qui avait commencé, comme pour ces bébés, dans une maternité semblable, il y a bien longtemps de cela.

5

LA LEÇON DU POUVOIR

Carlos, quarante-cinq ans, est atteint du sida. Il a appris lentement la leçon du pouvoir au fur et à mesure que sa maladie progressait :

— D'abord, j'ai perdu mon boulot, ensuite ma pension d'invalidité, et pour finir, ma couverture sociale. Peu après, je me suis retrouvé dans un asile, trop malade pour travailler. Ma vie était devenue un véritable cauchemar. Je ne rendais régulièrement à l'hôpital pour suivre un traitement. Un jour, on m'a parlé d'un essai thérapeutique. Je me suis inscrit à ce programme, j'ai passé une première visite médicale, et l'attente a commencé : une, deux, quatre, cinq semaines. Mon état ne cessait d'empirer. On me disait toujours que j'aurais des nouvelles la semaine suivante. J'étais obligé d'aller à pied à l'hôpital car je n'avais plus le téléphone. Mais, après sept semaines, je pouvais à peine y parvenir. Un jour, j'étais tellement fatigué et essoufflé que j'ai dû m'asseoir sur le rebord du trottoir. J'ai regardé la rue et je me suis dit : « Voilà, je suis arrivé au bout du chemin. »

Leçons de vie

Ce n'était pas la première fois que je rencontrais des difficultés dans ma vie. Je suis né dans un milieu très pauvre. Dès que j'en ai eu la force, j'ai fait les travaux de la ferme. Ce n'est qu'à onze ans que j'ai eu ma première paire de chaussures. J'ai dû constamment me battre durant mon enfance. Où étaient donc passés ce courage et cette détermination ? Je suis resté assis là, et j'ai pleuré. Je me suis dit : « Seigneur, s'il te plaît, pas maintenant, pas ici. J'ai encore des choses à faire. Je veux connaître le prochain millénaire. » Cela avait toujours été mon plus profond désir. Je pleurais parce que j'avais perdu mon pouvoir.

J'avais l'impression que mon esprit se desséchait. Mon courage était en train de m'abandonner. Allais-je mourir ici ? Tout d'un coup, quelque chose m'a frappé : j'étais toujours là. Avais-je vraiment perdu ma force ? J'ai réussi à me lever et à marcher jusqu'à l'hôpital. J'ai dit à l'infirmière : « Mon état empire. Je n'ai plus le temps d'attendre qu'on me convoque pour cet essai thérapeutique. Il doit bien y avoir un autre moyen d'obtenir ces nouveaux médicaments. »

J'ai tellement insisté qu'elle a fini par me trouver une place dans un autre protocole thérapeutique. Ce jour-là, j'ai donc commencé ce nouveau traitement associant plusieurs médicaments. Aujourd'hui, deux ans plus tard, mon organisme a recouvré ses forces. Je ne suis plus un mourant. Mon rétablissement a commencé ce fameux jour où j'ai retrouvé mon pouvoir. Si je ne m'étais pas souvenu que j'avais un pouvoir, il y a longtemps que je serais mort.

Notre véritable pouvoir ne dépend pas de notre position sociale ou de l'importance de notre compte en banque. En réalité, il est l'expression de notre être authentique, de notre force et de notre intégrité. Nous l'ignorons, mais chacun de nous recèle en lui-même l'énergie de l'univers.

Nous savons que les autres détiennent un pouvoir, que la nature est puissante (il suffit de voir la graine se transformer en fleur ou d'assister à la course du soleil chaque jour). Nous constatons même la présence des forces de vie en nous. Pourtant, nous doutons de notre propre pouvoir. Dieu n'a pas créé la nature puissante et l'homme faible. L'homme est fort parce qu'il a conscience de son caractère unique et parce qu'il sait que son pouvoir réside au tréfonds de son être et qu'il existe dans toutes les manifestations de la création. Nous sommes venus au monde grâce à lui. Si nous l'avons oublié, il suffit de reconnaître à nouveau son existence.

Le Dr David Viscount aimait raconter l'anecdote suivante sur l'exercice de notre pouvoir. Il évoquait une loi faisant obligation au propriétaire d'un terrain de signaler par un panneau qu'il s'agit d'une propriété privée. S'il ne le fait pas, au bout de quelques années la propriété deviendra publique. Il en est de même pour nous. De temps à autre, il nous faut réaffirmer les limites de notre intégrité en disant « Non », ou « Tu me blesses », ou encore « Je ne me laisserai pas faire, tiens-le-toi pour dit. » Si nous ne le faisons pas, nous abandonnons notre pouvoir à ceux qui, délibérément ou non, veulent nous marcher sur les pieds. Il est de notre responsabilité de retrouver notre pouvoir.

Dans une célèbre pièce satirique, le regretté comique Jack Benny jouait le rôle d'un radin notoire braqué par un mauvais garçon qui lui disait : « Ton fric ou ta peau, choisis ! » Jack hésitait un long moment avant de répondre : « Laissez-moi le temps de réfléchir. »

On a tendance à assimiler richesse et pouvoir, à croire que l'argent peut acheter le bonheur. Le désenchantement est terrible pour ceux qui, après s'être acharnés à faire fortune, s'aperçoivent que leur fortune ne les rend pas plus heureux. Il y a autant de suicides chez les riches que chez les autres. Sigmund Freud dit un jour que, si on lui en donnait le choix, il traiterait uniquement des patients riches, parce qu'ils ne croient plus que leurs problèmes puissent être résolus par l'argent. Bien sûr, nous aimerions faire l'expérience de la richesse. Mais celle-ci n'est rien d'autre que cela – une expérience, différente mais pas meilleure que les autres.

Un homme plein de sagesse connaissait tout de la richesse et du bonheur, car il jouissait des deux. Alors qu'il traversait une période de difficultés financières, on lui posa cette question : « Alors, quelle impression ça vous fait d'être pauvre ? » Il répondit : « Je ne suis pas pauvre, je suis fauché. La pauvreté est un état d'esprit et, moi, je ne serai jamais pauvre. »

Il avait raison. La richesse comme la pauvreté sont des états d'esprit. Certaines personnes désargentées ont le sentiment d'être riches, et vice versa. Être « pauvre », c'est avoir une pensée pauvre, ce qui est beaucoup plus grave que d'avoir des problèmes d'argent. La pensée pauvre n'a pas la notion de valeur, car elle fait oublier que, si l'argent va et vient, la valeur de l'être humain est immuable. La pensée riche, c'est exactement le contraire. En étant constamment conscient de sa valeur et de son originalité, on renforce sa confiance en soi. Cette prise de conscience, et elle seule, constitue le début de la vraie richesse. Certains accordent une grande valeur aux objets. C'est très bien, sauf si l'on oublie que l'homme est plus précieux que n'importe quel bien.

On dit souvent qu'il faut faire ce que l'on aime, et que l'argent viendra ensuite naturellement. C'est parfois vrai. Mais ce qui l'est toujours c'est que, si vous faites ce que vous aimez, vous éprouverez une satisfaction intérieure bien plus grande que si vous possédiez une belle Mercedes ou un château. J'ai entendu des milliers de mourants exprimer leurs regrets. Bon nombre d'entre eux disaient : « Je n'ai jamais pu réaliser mon rêve », « J'étais esclave de l'argent ». Je n'en ai jamais entendu un seul dire : « J'aurais aimé passer plus de temps au bureau », ou bien : « J'aurais été beaucoup plus heureux avec dix mille dollars de plus. »

Croire que l'on acquiert de l'influence en dominant les gens et les situations est tout aussi illusoire que de croire que l'argent rend puissant. Nous pensons qu'il faut tout maîtriser, sous peine de sombrer dans le chaos. Bien sûr, il est nécessaire de contrôler certaines choses pour mener à bien les activités de la vie quotidienne. Les problèmes surgissent lorsque nous dépassons certaines limites. Nous serons alors peut-être plus puissants, mais certainement plus malheureux. Plus nous consacrons notre énergie à vouloir contrôler l'incontrôlable, plus la qualité de notre vie se dégrade.

Il est vrai que les gens fortunés ou puissants peuvent plus facilement influer sur leur entourage que les autres, mais cela n'a rien à voir avec le vrai pouvoir, celui-ci n'est que temporaire. Tout ce que nous avons peur de perdre – santé, travail, argent et beauté – procure un pouvoir illusoire.

Ceux qui s'efforcent de contrôler les autres les privent – et se privent – des victoires et des échecs qui font naturellement partie de la vie. Ils veulent, pour leur propre profit, que les autres se conforment à leur vision des choses. Mais celle-ci n'est pas toujours la meilleure. Pourquoi les autres devraient-ils s'y conformer ? Pourquoi ne pourraient-ils pas vivre comme ils l'entendent ? On gère beaucoup mieux sa vie et ses relations lorsqu'on comprend que l'on ne peut maîtriser ni les gens, ni les choses, ni les événements. Se libérer du désir de contrôle n'entraîne pas le chaos ; au contraire, c'est ainsi que l'on retrouve l'ordre naturel des choses.

• EKR

Un jour, j'ai assisté à une manifestation parfaite, bien qu'inhabituelle, de l'ordre naturel des choses.

Je donnais une conférence à New York devant mille cinq cents personnes. À la fin, des centaines de personnes firent la queue pour obtenir une dédicace. J'ai signé autant de livres que j'ai pu, mais il ne fallait pas que je rate mon avion. Je suis restée jusqu'au dernier moment, puis je suis partie comme une flèche à l'aéroport. Mais, une fois là-bas, j'ai appris que l'avion aurait quinze minutes de retard. C'était parfait, car cela me laissait le temps d'aller aux toilettes, ce qui devenait urgent. Alors que je m'y trouvais, quelqu'un s'est adressé à moi : « Dr Ross, cela vous dérangerait-il de... »

Je me suis dit : « Que me veut-on ? »

Puis, j'ai vu qu'on poussait l'un de mes livres sous la porte des toilettes, en même temps qu'un stylo pour que je le dédicace.

J'ai répondu, « Oui, ça me dérange », et j'ai saisi l'ouvrage en me disant que j'allais prendre tout mon temps. Toutefois, j'étais curieuse de voir qui avait osé faire une chose pareille.

En ouvrant la porte, je découvris une bonne sœur. Je lui dis : « Je ne vous oublierai jamais, croyez-moi ! » Et je n'ai pas dit cela sur un ton aimable. Je voulais lui dire : « Quel culot de venir m'importuner jusqu'ici ! »

Et voici ce qu'elle m'a répondu : « Grâce soit rendue au Seigneur ! C'est vraiment la divine providence ! » En voyant la consternation sur mon visage, elle ajouta aussitôt : « Je vais tout vous expliquer. »

Manifestement, tout ce qu'elle me dit venait du fond du cœur. Dans un premier temps, cette situation m'avait agacée au plus haut point parce que je ne supportais pas l'idée que l'on puisse me manipuler de la sorte. Mais ensuite, j'ai découvert que le pouvoir de cette femme tenait à sa grande pureté. Voici ce qu'elle me déclara : « Mon amie, une religieuse, est en train de mourir à Albany. Elle comptait les jours avant votre conférence. Elle tenait tellement à y assister, mais elle était trop malade pour effectuer le voyage. Je voulais faire quelque chose pour elle, et c'est pourquoi je suis venue ici. J'ai enregistré votre conférence, et je voulais lui rapporter un de vos livres dédicacé. J'ai fait la queue pendant plus d'une heure parce que je savais à quel point c'était important pour elle. Il n'y avait plus que quelques personnes devant moi quand vous avez finalement dû partir. Malgré tous mes efforts, je vous ai "ratée" de peu. Comprenez-vous maintenant pourquoi cette rencontre à l'aéroport, dans les toilettes, m'a fait penser qu'il s'agissait d'une manifestation de la divine providence ? »

Cette femme ignorait que mon avion devait décoller de cet aéroport. Elle m'a reconnue aux toilettes, ce qui prouve qu'il n'est pas nécessaire de chercher à contrôler les événements pour qu'ils se produisent. Il n'y a pas de hasard dans la vie, seulement des « manipulations » divines. C'est ça, le vrai pouvoir.

Notre pouvoir personnel est un don inné et notre seule véritable force.

Malheureusement, nous l'oublions souvent, sans même nous en rendre compte.

Nous renonçons à notre pouvoir lorsque nous nous laissons influencer par les opinions d'autrui. Pour le retrouver, souvenez-vous qu'il s'agit de votre vie. Ce qui importe, c'est ce que vous pensez. Il vous est impossible de rendre les gens heureux, mais vous avez le pouvoir de construire votre propre bonheur. Vous ne pouvez pas contrôler leurs pensées : vous pouvez au mieux les influencer dans une certaine mesure. Songez aux gens à qui vous avez voulu faire plaisir il y a une dizaine d'années. Où sont-ils aujourd'hui ? Ils ne font sans doute plus partie de votre vie. Ou bien, si vous les voyez encore, vous essayez probablement toujours d'obtenir leur reconnaissance. Laissez tomber. Reprenez votre pouvoir. Forgez-vous votre propre opinion sur vous-même.

La raison d'être de notre pouvoir, c'est de nous aider à faire ce que nous voulons, à exprimer toutes nos potentialités. Il ne nous a pas été donné pour faire ce que nous « devrions » faire. C'est là la pire attitude que l'on puisse adopter dans l'existence. Nous devons nous combler nous-mêmes.

Le pouvoir personnel favorise l'intégrité et la grâce, pour nous-même et pour les autres. Il implique que nous soyons forts afin d'aider les autres à le devenir. Il faut être suffisamment fort pour reconnaître spontanément le mérite d'autrui. Ce genre de pouvoir nous soutient intérieurement. En vous considérant comme fort, je reconnais la force qui est en moi. En constatant votre bonté, je ne peux m'empêcher de me comporter de la même manière. Je peux alors découvrir l'amour qui est en moi. Au bout du compte, l'opinion que j'ai de vous finit par être celle que j'ai de moi-même. Si je pense que vous n'êtes pas une victime, cela m'aide à comprendre que je n'en suis pas une, moi non plus. C'est la grâce qui permet à cette bonté de s'étendre. En croyant en l'autre, nous trouvons la foi qui nous permet de croire en nous-même.

Mais nous sommes des êtres humains et il nous arrive souvent de nous égarer. On réfléchit à ses erreurs et à ses faiblesses, puis on se dit : « Je suis malheureux à cause des erreurs que j'ai commises. Il faut que je m'améliore. Je vais m'efforcer de changer. » Mais si l'on se contente d'en dresser l'inventaire, on ne fait qu'en être les esclaves. On se dit : « Je n'étais pas assez bon, mais, à partir de maintenant, je vais faire plus d'efforts. » Ce genre de réactions nous entraîne dans le jeu dangereux du « toujours plus ». On se dit que l'on sera plus heureux quand on aura plus d'argent, ou plus de responsabilité au travail, ou encore lorsqu'on sera plus respecté.

Pourquoi le futur semble-t-il offrir plus de possibilités de bonheur que le présent ? C'est parce que nous nous leurrons nous-mêmes dans ce jeu du « toujours plus », qui nous prive invariablement de notre pouvoir. En outre, ce jeu nous condamne à une insatisfaction permanente. Si nous obtenons ce que nous voulons, nous nous sentons encore plus mal parce que cela ne nous suffit toujours pas. Nous sommes toujours malheureux. Si seulement nous pouvions obtenir un petit peu plus. Nous ne réalisons pas que la simplicité est la seule chose qui importe.

Les mourants ne peuvent plus jouer au jeu du « toujours plus », parce qu'ils n'ont plus d'avenir. Ils découvrent alors le pouvoir du présent, qui est capable de combler toutes les attentes. Si l'on croit en un Dieu bon et tout-puissant, est-il concevable qu'il puisse raisonner ainsi : « Il va me falloir attendre jusqu'à demain ?... Je voulais que Bill ait une existence agréable, mais, bon, il n'a pas choisi le bon boulot et je ne peux pas faire grand-chose. » Dieu ne voit pas les limites que nous nous fixons dans notre existence. Il nous a donné un monde dans lequel la vie peut toujours devenir meilleure, non pas demain, mais aujourd'hui. Si nous lui en laissons la possibilité, un mauvais jour peut devenir bon, une relation malheureuse peut évoluer favorablement, et ainsi de suite.

Leslie et sa fille Melissa âgée de cinq ans étaient en train de traverser une rue dans un quartier commerçant. Une Jeep, d'où s'échappait une musique tonitruante, brûla un feu rouge pour tourner à gauche. Le conducteur, âgé de seulement dix-sept ans, ne pouvait voir Leslie et Melissa parce qu'en tournant il s'était retrouvé face au soleil. Mais Leslie avait aperçu la Jeep. Elle comprit que le choc était inévitable. La seule chose qu'elle put faire, ce fut de serrer sa fille dans ses bras. Le conducteur les découvrit au dernier moment et fit une embardée. Il heurta quelques voitures en stationnement, et s'arrêta à seulement quelques centimètres de la mère et de la fille pétrifiées. Le jeune homme était accablé par ce qui venait de se passer, mais Leslie éprouvait seulement un profond sentiment de reconnaissance et un immense soulagement :

« Cela aurait pu être bien plus grave. Melissa et moi, nous aurions pu tout simplement nous retrouver allongées par terre, mortes. Les voies de la vie sont parfois déconcertantes. Je me suis agenouillée ce jour-là parce que nous avions été épargnées. Depuis lors, rien ne me semble acquis pour toujours. Ainsi, quand ma mère, âgée de cinquante-cinq ans, m'a appelée pour me dire que sa mammographie ne révélait aucune anomalie, je l'ai remerciée d'avoir accompli cette démarche. Je remercie le Seigneur de lui accorder une bonne santé. J'ai compris quelque chose sur la fragilité de l'existence, et cela renforce mon sentiment de gratitude. Celui-ci a donné un sens à ma vie et m'a dotée d'un immense pouvoir. »

Une personne reconnaissante est forte, car la gratitude engendre le pouvoir. Il n'est pas de richesse qui ne soit fondée sur le sentiment de gratitude envers ce que l'on possède.

Les véritables pouvoir, bonheur et bien-être sont les fruits de cette œuvre d'art qu'est la gratitude. Il faut en éprouver pour ce que l'on a, pour la réalité telle qu'elle est, pour ce que l'on est, pour tout ce que l'on a apporté avec soi en naissant. Chacun d'entre nous est unique. Il n'y aura jamais un autre « vous », pas même dans un million d'années. Personne ne peut concevoir le monde et se comporter comme vous le faites. D'un autre côté, si vous ne savez pas apprécier ce que vous avez maintenant – objets, personnes, etc. – par quel miracle serez-vous capable de le faire demain ? Vous en serez incapable parce que vous n'avez jamais fait travailler votre « muscle de la gratitude », parce que vous n'avez jamais appris à être reconnaissant. Et c'est pourquoi vous continuerez à penser : « Ma nouvelle femme, ce deuxième million de dollars, cette belle maison, tout cela ne me suffit toujours pas. Il m'en faut encore plus. » Et ainsi vous vivrez, constamment tenaillé par le désir de posséder encore plus de choses, ou par l'envie de changer d'existence, jouant à « toujours plus » au lieu de faire preuve de gratitude pour ce que vous avez.

Concentrons-nous sur notre propre chemin, celui qui nous mène vers des réalisations plus vastes que l'argent et les biens matériels. Troquons le jeu du « plus » contre celui du « assez ». Cessons de nous demander, « Est-ce suffisant ? », parce qu'au terme de notre vie, nous réaliserons que nous n'avons manqué de rien. Heureusement, nous pouvons comprendre cela avant de quitter ce monde.

C'est une lapalissade, mais si l'on est satisfait de ce que l'on a, c'est que l'on n'a besoin de rien d'autre. Une journée « suffisante » procure une formidable sensation de bien-être. Il est rare que l'on considère les choses ainsi, parce qu'il est rare que l'on soit satisfait de sa vie. Mais on peut changer sa vision des choses. On peut par exemple se dire : « C'est ma vie et je n'ai besoin de rien d'autre. » C'est là une merveilleuse affirmation de grâce et de pouvoir. Lorsqu'on ne désire rien d'autre, lorsqu'on n'éprouve pas le besoin de tout contrôler, on peut alors laisser son existence suivre tranquillement son cours.

Nous disposons d'une immense force, mais nous ne savons pas l'utiliser. Le vrai pouvoir réside dans la connaissance de notre nature profonde et de notre place dans ce monde. Ceux qui ressentent le besoin d'accumuler des biens matériels ont complètement oublié ce qu'ils sont. Sachez que votre pouvoir réside dans la prise de conscience de la nécessité de toute chose et de tout être.

6

LA LEÇON DE LA CULPABILITÉ

● DK

Il y a des années de cela, Sandra fut absolument ravie d'apprendre que sa meilleure amie, Sheila, allait se marier, et qu'elle lui demandait d'être sa demoiselle d'honneur. Le jour du mariage, Sandra, vingt ans, se dirigea au volant de sa voiture flambant neuve vers le domicile de la future mariée. Sandra s'était portée volontaire pour la conduire à l'église.

Il pleuvait quand Sandra s'arrêta devant le domicile de Sheila. La demoiselle d'honneur aida la future mariée à porter la robe de mariage et les bagages pour la lune de miel jusqu'à la voiture. Elle s'apprêtait à démarrer quand Sheila lui dit :

— Laisse-moi conduire.

— Mais tu ne peux pas prendre le volant pour te rendre à ton propre mariage !

— Laisse-moi faire, s'il te plaît, insista-t-elle. Ça m'aidera à oublier un million de soucis, sans parler du fait que le soleil a décidé de ne pas assister à mon mariage.

Sandra tendit les clés de sa voiture à sa meilleure amie, puis elles prirent la direction de l'église, parcourant les quelques kilomètres qui les en séparaient, tout en parlant des détails du mariage et du temps qui ne s'améliorait pas. Soudain, la voiture se mit à déraper et Sheila perdit le contrôle du véhicule. La voiture alla s'écraser contre un réverbère, et la jeune fiancée fut tuée sur le coup. Si Sandra s'en tira avec quelques fractures, au plan psychique, elle devait connaître l'enfer.

Aujourd'hui encore, vingt ans plus tard, cette tragédie la hante toujours : « Si seulement j'avais pris le volant, se lamente-t-elle, Sheila serait toujours en vie. »

Au fil de notre conversation, je lui ai posé quelques questions :

— Êtes-vous absolument certaine que Sheila aurait survécu si vous aviez conduit ? Saviez-vous qu'il allait y avoir un accident ? Saviez-vous qu'elle allait mourir ? Saviez-vous que vous alliez survivre et elle non ?

— Non, mais je suis vivante et elle est morte !

Manifestement, Sandra était toujours incapable de se libérer de son sentiment de culpabilité. Je lui ai alors posé cette question :

— Si les rôles avaient été inversés, qu'auriez-vous aimé que Sheila vous dise ? En d'autres termes, si vous étiez morte et si elle était là et que vous puissiez lui parler, que lui diriez-vous ? Si vous pouviez voir votre amie, des années plus tard, toujours hantée par ce souvenir, que lui diriez-vous à propos de cet accident ?

Sandra réfléchit un bon moment.

— Je lui dirais ceci : C'est moi qui conduisais, j'ai pris mes responsabilités. Personne ne m'a obligée à le faire et personne n'aurait pu m'en empêcher. C'était le jour de mon mariage et je tenais absolument à le faire.

Ses yeux se remplirent de larmes à l'évocation de cette journée tragique.

— Je lui dirais aussi : Ce n'était pas de ta faute. Ça devait arriver, c'est tout. Je ne veux pas que tu passes ta vie à te sentir coupable.

La vie nous réserve parfois des événements tragiques dont nous ne sommes absolument pas responsables. Personne ne peut dire pourquoi l'un meurt et l'autre survit. Sandra se sentait terriblement coupable parce qu'elle s'en voulait de ne pas avoir pris le volant, parce qu'elle avait laissé son amie « conduire et se tuer ». Il fallait qu'elle comprenne qu'à l'époque, elle ne pouvait absolument pas deviner les conséquences de leur décision commune. Elle avait simplement pensé que son amie serait encore plus heureuse le jour de son mariage si elle la laissait conduire sa nouvelle voiture.

En psychologie, on appelle cela « le syndrome des survivants », mais ce sentiment de culpabilité n'a pas de fondement logique. Ce concept a connu une grande vogue après la Seconde Guerre mondiale, lorsque des rescapés des camps de la mort se sont demandé pourquoi ils avaient survécu, et pas les autres. Ce syndrome affecte souvent ceux qui échappent à une catastrophe, qu'il s'agisse d'un attentat, d'un accident d'avion ou de voiture, ou même d'une maladie épidémique comme le sida. Il peut également toucher ceux qui ont perdu un proche, même s'il s'agit d'une mort naturelle. Si l'on peut comprendre cette réaction, le phénomène n'en demeure pas moins une énigme. Le seul fait de se poser cette question n'est pas dénué d'une certaine arrogance inconsciente. Il ne nous appartient pas de nous demander pourquoi untel est mort et untel a survécu. Leur destin est du ressort de Dieu et de l'univers. Toutefois, il y a bien une logique dans tout cela : si les survivants ont été épargnés, c'est pour pouvoir continuer à vivre. La vraie question est celle-ci : vous avez été épargné, mais êtes-vous réellement vivant ?

La psychologie de la culpabilité s'enracine dans la mauvaise image que l'on a de soi-même, dans l'idée que l'on a commis une faute. C'est un mouvement de colère dirigé contre soi, qui se manifeste quand on viole son propre système de croyances. La plupart du temps, cette fausse perception de soi trouve son origine dans notre éducation. En effet, nous avons été élevés pour être des « prostitués ». Ce jugement peut paraître excessif, mais il reflète la vérité. J'entends par là que l'enfant, symboliquement, doit se vendre pour obtenir l'affection des autres. On nous apprend à être de bons petits qui se conforment aux désirs d'autrui plutôt qu'à nous construire une forte identité personnelle. On ne nous encourage pas vraiment à être indépendants ou interdépendants. On s'efforce de nous enfermer dans la *codépendance*, une situation dans laquelle on accorde davantage d'importance aux désirs et aux sentiments de l'autre, qu'aux siens propres. Ce n'est pas un choix conscient, car nous nous ne savons pas comment satisfaire nos véritables besoins.

Le symptôme le plus évident de la *codépendance* est l'incapacité de dire non. On nous apprend à contenter les autres en leur accordant ce qu'ils nous demandent. Les parents sont généralement excédés lorsque leurs enfants disent non. Pourtant, qu'un enfant ait appris à le faire au bon moment est quelque chose de merveilleux. Nous devrions tous apprendre à dire non, haut et fort, et ce, le plus tôt possible.

Le désir de satisfaire autrui constitue un terrain fertile pour la culpabilité, mais ce n'est pas le seul. On peut aussi se sentir coupable lorsqu'on s'efforce d'affirmer son indépendance. Cela peut représenter un problème sérieux pour les enfants qui ont perdu un parent alors qu'ils construisaient leur identité. Il revient alors à son entourage de l'aider à surmonter ce sentiment de culpabilité.

● EKR

Le petit Scott, neuf ans, était en colère contre sa mère parce qu'elle n'avait pas voulu le laisser partir dormir sous la tente. Margie l'avait clairement averti qu'il ne partirait qu'après avoir fini ses devoirs, mais elle avait beaucoup de mal à se faire obéir. À quarante ans, elle souffrait d'un cancer du col utérin, qui avait dépassé le stade local et atteint le foie. « Je veux qu'il soit heureux avec moi, m'a-t-elle expliqué. Il nous reste si peu de temps. »

Malgré le désir de Margie de vivre une relation harmonieuse avec son fils, la dispute à propos des devoirs s'envenima. Scott, fou de rage, s'écria : « Dommage que tu sois pas morte ! »

Voilà qui est dur à avaler. Certains auraient répliqué sèchement : « Ne t'inquiète pas, ton vœu sera bientôt exaucé. » Mais Marie se contenta de lui répondre doucement en le regardant dans les yeux :

« Je sais bien que ce n'est pas ce que tu as voulu dire. Je sais bien que tu es très en colère. »

Dix mois plus tard – elle était à présent clouée au lit –, Margie me confia la chose suivante :

— Je veux que Scott garde un bon souvenir de moi. Je sais que mon décès le marquera à vie, qu'il signifiera certainement la fin de son enfance. C'est déjà assez douloureux comme cela, je ne veux pas en plus le laisser avec un sentiment de culpabilité. C'est pourquoi je lui en ai parlé : « Scotty, tu te souviens du jour où tu étais fou de rage, quand tu m'as dit que tu souhaitais me voir mourir ? Eh bien, quand je serai partie, même des années plus tard, tu te souviendras de choses comme ça et il se peut que tu te le vives très mal. Mais je veux que tu saches que tous les enfants se mettent en colère et pensent parfois qu'ils détestent leur mère. Je sais bien que ce n'est pas le cas. Je sais que tu souffres beaucoup intérieurement. Je veux que tu ne te sentes jamais coupable de ce que tu m'as dit. Être ta mère a été une expérience merveilleuse pour moi. Ça valait le coup de vivre rien que pour être avec toi. »

Une telle sagesse est peu courante. Rares sont ceux qui mesurent à quel point ils culpabilisent leurs enfants, et à quel point ils l'ont été eux-mêmes. À l'âge adulte, la plupart d'entre nous continuent de vivre avec ce sentiment stérile et autodestructeur.

Toutefois, dans une certaine mesure, le sentiment de culpabilité est nécessaire. Sans lui, la société sombrerait dans le chaos, car il n'y aurait plus de « limitations de vitesse », et nous conduirions comme si nous étions seuls sur la route.

Ce sentiment fait partie intégrante de l'expérience humaine. Il peut parfois être un signal d'alarme révélant un dysfonctionnement, pour nous indiquer que nous nous sommes écartés de notre système de croyances, que nous avons dépassé les frontières de notre intégrité morale. Pour se libérer de la culpabilité, il faut mettre ses actes en accord avec ses croyances.

• DK

Helen et Michelle, toutes deux âgées d'une cinquantaine d'années, étaient des amies de vingt ans. Mais, depuis quatre ans, Helen en voulait beaucoup à Michelle et elles ne se parlaient presque plus. La simple mention du nom de son amie exaspérait Helen : « J'ai toujours ses cadeaux d'anniversaire des quatre dernières années dans ma cave. Je ne les lui donnerai que lorsqu'elle trouvera du temps à me consacrer. »

Après le remariage de Michelle, leur amitié battit de l'aile. Helen fut heureuse pour elle, mais elle commença à se sentir délaissée. Puis, peu après, elle se remaria à son tour. Les liens qui unissaient ces deux femmes se relâchèrent davantage. Helen appelait Michelle, mais celle-ci n'avait apparemment jamais le temps de la voir : « Michelle, j'ai ton cadeau d'anniversaire, il faut absolument qu'on se voie », mais elles ne se rencontraient jamais.

Depuis quelque temps, Helen souffre d'un cancer du sein. Elle a passé sa vie en revue, et cette amitié brisée ne cesse de la hanter. Lorsque je lui ai demandé pourquoi elle n'envoyait pas ces fameux cadeaux d'anniversaire par la poste, elle m'a répondu, en proie à une vive colère :

— Pas question tant que nous ne nous reverrons pas. Cela fait maintenant des années que j'essaie de la voir. Je continue de l'appeler pour lui parler de ces merveilleux cadeaux que je lui ai achetés.

— Ne pensez-vous pas que le sentiment de culpabilité ait pu jouer un rôle dans cette brouille ?

— Je ne me sens aucunement coupable, répliqua-t-elle aussitôt.

— Mais, en revanche, il se peut qu'inconsciemment vous ayez tenté de culpabiliser votre amie.

— Qu'est-ce qui vous fait dire cela ? me répondit-elle, déconcertée.

— Il me semble que, pour une raison ou pour une autre, Michelle avait décidé de changer la nature de votre relation, voire d'y mettre un terme. Au lieu de faire face à cette situation nouvelle, vous avez fait comme si de rien n'était et continué à lui acheter des cadeaux chaque année. Je peux comprendre que vous l'ayez fait la première année, mais pourquoi avoir continué pendant quatre ans ? Il ne vous a quand même pas échappé que tout cela était vain ?

— Non, je pensais vraiment qu'elle trouverait le temps de me voir cette année.

Lorsque je lui ai demandé si la nature des cadeaux avait changé au fil des années, elle me répondit qu'ils étaient chaque fois plus beaux. Je lui ai alors demandé pourquoi elle souhaitait offrir des choses de plus en plus belles à quelqu'un qui, manifestement, n'en voulait pas.

Décontenancée, Helen réfléchit un moment. Puis, très en colère, elle lâcha brusquement :

— Mais vous ne comprenez rien ! C'est elle qui a tort, c'est elle qui refuse de me voir.

— C'est possible, répondis-je. Mais ces cadeaux ne sont-ils pas pour vous un moyen de la culpabilisé ? En continuant d'en acheter, quels sentiments vouliez-vous qu'elle éprouve ?

Helen baissa les yeux, puis admit enfin cal-mement :

— Je voulais qu'elle se sente coupable de sa conduite envers moi.

— Ne pensez-vous pas que vous pourriez lui dire cela directement ? Peut-être est-ce pour cela qu'elle ne souhaite pas vous voir. Ce n'est plus une amitié que vous lui offrez, mais un cadeau empoisonné par la culpabilité.

— Il me faut éclaircir tout cela et trouver une solution.

— Pourquoi ne pas les lui envoyer par la poste ?

— Jamais !

— Alors donnez-les à une œuvre caritative.

— Non, je ne peux pas.

— Si vous voulez vous sentir mieux, il faut vous libérer de la culpabilité qui vous mine et de celle dont vous accablez votre amie. Tant que vous vous y cram-ponnerez, vous resterez prisonnière de cette culpabi-lité. Maintenant, vous vous sentez coupable de chercher à culpabiliser votre amie.

— Je vais y réfléchir.

Quelques semaines plus tard, Helen appela Michelle. Cette fois, au lieu de lui parler de ses cadeaux, elle s'excusa de sa conduite. Michelle lui confia qu'effectivement, elle s'était sentie prise en otage. Aujourd'hui, ces deux femmes se reparlent et s'efforcent de reconstruire leur relation. Elles ont décidé de repartir sur de « bonnes bases » et de faire don des fameux cadeaux à une œuvre caritative.

La culpabilité nous enchaîne aux parties les plus obscures de notre être, à nos faiblesses, à nos sentiments de honte, et à notre incapacité de pardonner. Ce qu'il y a de plus petit en nous se nourrit de ce sentiment. L'inaction le nourrit. Quand on se sent coupable, on a tendance à être mesquin, à être dominé par ses pensées les plus troubles. Puis, on se sent envahi par un terrible sentiment de honte. Le remède consiste à évoquer franchement ces sentiments. Votre être authentique ignore la culpabilité. Votre véritable Moi se situe au-delà.

La honte et la culpabilité sont étroitement liées. La première procède de vieux sentiments de culpabilité. Alors que cette dernière concerne ce que vous avez fait, la honte résulte de l'image que vous avez de vous-même. La culpabilité qui vous mine se transforme en honte. Comme la culpabilité qui la précède, la honte s'enracine dans l'enfance, avant la structuration de l'identité personnelle. Elle se développe avant le sentiment de responsabilité de nos erreurs avant que nous ayons compris que nous ne sommes pas nos erreurs. Lorsqu'un conflit éclate avec ses parents, l'enfant pense qu'il a dû faire quelque chose de mal, que quelque chose ne tourne pas rond chez lui. Il enfouit ses blessures, sa colère et son ressentiment. Il a alors une mauvaise image de lui-même.

À quinze ans, Ellen était trop jeune pour être une mère, mais assez âgée pour tomber enceinte. Ses parents s'attendaient à tout sauf à cela, car ils n'avaient jamais abordé avec elle les choses de la vie. À un moment donné, Ellen fut dans l'incapacité de cacher plus longtemps son état. Accablés par la culpabilité et la honte, ses parents la firent accoucher loin de chez eux et exigèrent que l'enfant soit adopté. Ellen refusa de prendre des analgésiques durant le travail, car elle voulait « voir son enfant pour ne pas l'oublier ». Elle put voir sa précieuse petite fille, mais ne put la prendre dans ses bras.

Aujourd'hui, cinquante-cinq ans plus tard, Ellen souffre de problèmes cardiaques et d'un mauvais état de santé général. « Il est temps pour moi de partir, dit-elle. Je n'ai aucun regret, sauf en ce qui concerne ma fille. Je comprends que je dois me pardonner de l'avoir abandonnée. J'étais moi-même une enfant lorsque c'est arrivé. Je ne pouvais pas comprendre les conséquences de mes actes. Mais je me rends compte aujourd'hui que ce sentiment de honte m'a poursuivie toute ma vie. J'ai beaucoup pensé à mon bébé. Je me sens incomplète. Il est probablement trop tard pour la retrouver, et ce serait peut-être même une démarche égoïste, car il est possible qu'elle ne sache même pas qu'elle a été adoptée. Il est vrai que j'étais jeune à l'époque et que je ne pouvais pas comprendre la situation, mais je veux quitter ce monde avec le sentiment d'avoir tenté quelque chose pour transcender ma honte. C'est pourquoi j'ai écrit une lettre à ma fille. »

Lorsque tu liras cette lettre, je ne serai probablement plus de ce monde. Même si j'ai eu une vie agréable, tu m'as toujours manqué, et le sentiment de culpabilité ne m'a presque jamais quittée. J'aurais pu essayer de résoudre le problème plus tôt. Je ne sais pas si j'aurais pu te retrouver, mais j'aurais pu faire en sorte que tu me retrouves plus facilement, si tel avait été ton désir. Maintenant, j'arrive au terme de

*mon existence, et il me reste une chose à accomplir
– te laisser ce message : si tu peux trouver le moyen
de vivre pleinement malgré toutes les injustices, tu
arriveras au terme du voyage avec le sentiment
d'avoir donné un vrai sens à ton existence. Je sais
que ce n'est pas facile. J'ai été dès le départ confrontée à l'injustice. Mais, encore une fois, tu peux donner un sens profond à ta vie, même si tu n'atteins pas
la perfection. J'avais besoin de te dire que tu as été
désirée, et que je n'ai jamais voulu t'abandonner.
D'une certaine manière, je ne t'ai jamais abandonnée. J'espère que tu as une vie agréable et passion-
nante. S'il existe un paradis, je prendrai soin de toi
et te protégerai dans la mort comme je n'ai jamais
pu le faire dans cette vie. Mon vœu le plus cher est
que lorsque viendra ton tour, nous puissions être
enfin réunies.*

Cette lettre fut retrouvée après sa mort par un membre
de sa famille qui nettoyait sa chambre. L'histoire d'Ellen
fut racontée à la station de radio locale, afin que la missive
ait une chance de parvenir à son destinataire. Quelques
mois plus tard, une femme se présenta. Après quelques
vérifications, on découvrit qu'elle était bien la fille
d'Ellen.

Comme dans le cas d'Ellen, la honte vécue durant
l'enfance donne naissance à un sentiment de culpabilité
injustifié. L'enfant victime de maltraitance se croit coupable. S'il éprouve de la honte, il la croit justifiée. S'il n'a
pas été aimé, il croit qu'il ne méritait pas de l'être. La
vérité, c'est que nous sommes porteurs de valeur et d'uti-
lité. Oui, on peut se sentir coupable d'avoir mal agi dans
le passé, mais cette attitude prouve en réalité que l'on a

un bon fond, car les gens réellement méchants n'éprouvent jamais de remords. Voyez le meilleur en vous. N'oubliez pas la bonté qu'il y a en vous.

Le bouddhisme et d'autres religions orientales considèrent que la culpabilité fait partie d'un niveau de conscience inférieur, étranger à Dieu et dépourvu d'amour. Notre instinct nous pousse à nous libérer de ce sentiment parce qu'il est extrêmement pénible. C'est un processus inconscient à travers lequel nous projetons sur autrui nos propres sentiments. En d'autres termes, *si ce n'est pas moi le coupable, ce ne peut être que toi.* Mais en se protégeant ainsi, on reste prisonnier de ses sentiments de culpabilité.

La paix intérieure et la culpabilité sont deux phénomènes opposés et incompatibles. Lorsque vous allez vers l'amour et la paix intérieure, vous rejetez en même temps la culpabilité, mais l'inverse est également vrai. Heureusement, tout cela n'est qu'une question de volonté. Vous pouvez décider d'introduire l'amour dans votre vie. Vous pouvez troquer votre culpabilité contre des sentiments de paix.

Certains croient que Dieu tient les humains pour mauvais et indignes d'amour. Toutefois, au terme de leur existence, les mêmes découvrent souvent que Dieu les aime de manière inconditionnelle. Bien sûr, nous avons commis des erreurs, mais cela fait partie de l'expérience humaine. C'est la culpabilité qui nous coupe de notre véritable nature, qui est enracinée dans l'amour et le divin.

La culpabilité et le temps sont étroitement liés. Comme la culpabilité est toujours ancrée dans le passé, elle maintient celui-ci vivant. Elle est un moyen d'éviter la réalité du présent. Elle enveloppe l'avenir d'un voile coupable. Ce n'est qu'en se libérant de sa culpabilité que l'on peut réellement se libérer de son passé et construire son avenir.

Le sentiment de culpabilité doit être traité. Les thérapies de groupe sont un excellent moyen d'exprimer sa colère, puis d'évoquer sa culpabilité. Si l'on en parle à autrui dans une démarche authentique, on pourra s'en libérer, parfois dans un torrent de larmes. Ce genre de thérapie ressemble beaucoup à la confession catholique. Celle-ci permet de se délivrer du poids du secret et de découvrir – souvent avec enchantement – que l'on est aimé par une puissance supérieure et que l'on mérite toujours l'amour des autres. La clé de la guérison est le pardon. Pardonner signifie reconnaître le passé et s'en libérer.

Le pardon peut vous permettre de vous débarrasser de tout ce dont vous vous croyez coupable. Durant toute votre vie, vous avez été sévère envers les autres, et plus encore envers vous-même. Il est temps maintenant de vous libérer de tous ces jugements. Vous êtes un enfant béni de Dieu, et vous ne méritez donc pas d'être puni. Dès lors que vous pardonnez à vous et aux autres, votre sentiment de culpabilité n'a plus de raison d'être. Une fois cette leçon bien assimilée, nous sommes vraiment libres.

7

LA LEÇON DU TEMPS

Notre existence est régie par le temps, de notre naissance à notre mort. Nous croyons que le temps nous appartient. Nous ne pouvons pas l'acheter, mais nous utilisons des expressions comme « dépenser son temps ». Et nous croyons que « l'emploi du temps » est un aspect essentiel de notre existence.

Aujourd'hui, nous connaissons l'heure de chaque région du globe, mais autrefois, cette notion de temps était beaucoup plus souple. L'apparition du chemin de fer a rendu nécessaire un respect plus strict des horaires. C'est ainsi qu'en 1883, les compagnies de chemin de fer des États-Unis et du Canada adoptèrent un système fondé sur quatre fuseaux horaires, toujours en vigueur aujourd'hui. Cette décision fut très mal accueillie : beaucoup pensaient que ces fuseaux horaires constituaient une insulte envers Dieu. Aujourd'hui, nos montres et nos réveils sont détenteurs de vérité. Nous avons même une « horloge nationale » au *Naval Observatory*, le « garde-temps officiel » des États-Unis. Mais il s'agit en réalité d'un ordinateur qui établit une moyenne à partir de cinquante horloges différentes.

Le temps est une unité de mesure utile, mais il n'a d'autre valeur que celle qu'on lui attribue. Le dictionnaire le définit ainsi : « Un intervalle séparant deux points dans un continuum. » Il semble que la naissance soit le commencement du temps, et la mort, sa fin, mais ce n'est qu'une apparence, car ces deux événements ne sont que des points dans un continuum.

Albert Einstein a découvert que le temps n'est pas une constante, mais qu'il dépend de la position de l'observateur. Il s'écoule à des vitesses variables selon que l'on est immobile ou en mouvement, selon que l'on voyage dans un véhicule spatial, dans un avion ou même dans un métro. En 1975, la marine américaine a voulu tester cette théorie d'Einstein, à l'aide de deux horloges atomiques identiques. Les chercheurs placèrent l'une d'elles au sol, et l'autre dans un avion. Pendant quinze heures, l'avion vola tandis que des émissions de signaux laser permettaient de comparer le temps des deux horloges. Comme Einstein l'avait prévu, le temps était plus lent dans l'avion en mouvement. Le temps est aussi une donnée subjective. Imaginons qu'un homme et une femme regardent le même film dans la même salle de cinéma. La femme l'a adoré mais l'homme l'a détesté. Pour elle, le film était trop court, tandis que pour lui, il était interminable. Pourtant, pour tous les deux, la séance a débuté à 19 heures et s'est achevée à 20 h 57. Mais leurs perceptions respectives sont différentes. Manifestement, le temps de l'un n'est pas celui de l'autre.

Chacun porte une montre à son poignet et la règle pour être sûr d'être à l'heure à ses divers rendez-vous – réunion, repas, cinéma, etc. C'est une bonne chose, car cela permet une meilleure organisation de notre vie sociale et professionnelle, et une meilleure communication. Mais au-delà de cet aspect pratique, prétendre que l'organisation arbitraire du temps en secondes, minutes, heures, jours, semaines, mois et années est inhérente à son concept même c'est oublier que chacun de nous vit le temps différemment parce que sa valeur est subjective.

Imaginons que celui-ci soit un arc-en-ciel. Si nous voulons organiser notre vie au moyen d'une montre afin d'être sûrs d'arriver à l'heure au travail, etc., nous pouvons considérer qu'une des couleurs de « l'arc-en-ciel du temps » remplit cette fonction. Mais, pour le reste, profitons de toutes les autres couleurs à notre guise.

Avec le temps, tout change : la personne que nous sommes en société, notre apparence et notre moi intérieur se transforment eux aussi. Notre existence est marquée par des changements continuels, même si, d'une manière générale, nous ne les aimons pas et avons tendance à leur résister. Dans le même temps, le monde autour de nous se modifie lui aussi. Son temps n'est pas le nôtre – il nous semble trop rapide ou bien trop lent.

Les transformations nous accompagnent toute notre vie, mais nous les considérons rarement comme nos amies. Elles nous font peur parce que nous sommes incapables de les contrôler. Nous préférons de loin celles que nous avons décidées, car elles sont justifiées et maîtrisées. C'est le changement inattendu qui nous met mal à l'aise, qui nous donne le sentiment que la vie pourrait prendre une mauvaise direction. Comme la plupart des choses de la vie, ces changements ne sont ni négatifs ni positifs – ils se produisent, un point c'est tout.

Le changement, c'est quitter une situation ancienne et familière pour en découvrir une nouvelle et inconnue. Parfois, ce n'est ni l'ancienne ni la nouvelle qui nous déconcerte, mais le passage de l'une à l'autre. Ronnie Kaye, l'auteur de *Spinning Straw into Gold*, qui survécut à deux cancers du sein, décrit ainsi cette transition : « Dans la vie, quand une porte se ferme, il arrive souvent qu'une autre s'ouvre... mais le couloir entre les deux est épouvantable. » Il en est ainsi du processus de changement. Il commence généralement par une porte qui se ferme, la fin d'une activité, une séparation, un deuil. Puis, nous entrons dans une phase désagréable, où nous pleurons ce que nous laissons derrière nous, tout en vivant dans l'incertitude de ce qui nous attend. Cette période est difficile à vivre, mais au moment même où nous avons le sentiment d'être à bout de forces, un événement se produit : une réinsertion sociale, un nouveau projet, un nouveau départ. Une porte s'ouvre. Si vous résistez au changement, vous y résisterez toute votre vie. C'est pourquoi il faut trouver un moyen de l'accepter, bon gré mal gré.

Lorsque nous demandons à quelqu'un « Quel âge avez-vous ? », nous lui demandons en réalité « Quelle heure êtes-vous ? ». Nous nous efforçons d'inscrire cette personne dans un cadre de référence lié au passé. En prenant connaissance de votre âge, je sais grosso modo quels sont vos souvenirs. Selon votre date de naissance, vous saurez tout sur le plan Marshall, Jackie Onassis, les premiers pas sur la lune, le téléphone à cadran, la musique disco, ou le système MS-DOS. Cette information peut éveiller en moi des souvenirs agréables et je chanterai avec vous de vieilles chansons des Beatles. Ou bien elle peut susciter mon hostilité : « Il faut être vraiment cinglé pour avoir été un hippie ! » Dans les deux cas, je ne vous estime pas tel que vous êtes réellement aujourd'hui. Je vous juge en fonction de ce que je considère comme la somme de vos expériences passées.

Prendre de la distance avec la perception que l'on a

des choses est un acte libérateur. Nous avons tous entendu
des dialogues de ce type :
— Vraiment, vous ne faites pas quarante ans.
— Et pourtant, c'est bien mon âge.
La première personne dit en substance : « Vous ne
correspondez pas à ma perception des choses », tandis que
la seconde ne veut pas être définie en fonction des attentes
d'autrui.

L'âge est dévalorisé dans la culture occidentale. Les
rides ne sont pas considérées comme un aspect de la vie,
mais comme un mal qu'il faut prévenir, cacher ou éliminer. Nous regrettons l'énergie et l'entrain de la jeunesse,
mais nous ne voudrions pour rien au monde revivre la
confusion caractéristique de l'adolescence. À l'âge mûr,
nous avons une plus grande expérience de la vie, et nous
ne pouvons nous permettre de perdre notre temps à des
futilités. Nous savons qui nous sommes et ce qui peut nous
rendre heureux. Une fois cette leçon bien assimilée, on n'a
aucune envie de recommencer sa jeunesse. Il est à la fois
sage et réconfortant de prendre conscience que l'enfance et
l'adolescence sont des périodes difficiles. C'est sans doute
l'âge de l'innocence, mais également celui de l'ignorance.
C'est le moment de la beauté, mais il est pénible parce que
marqué par un profond mal-être. C'est souvent l'âge de
l'aventure et, tout aussi souvent, de la stupidité. Pour bon
nombre de gens, les rêves de jeunesse deviennent les
regrets de la vieillesse, non pas parce que la vie s'achève,
mais parce qu'elle n'a pas été vécue. Vieillir de manière
harmonieuse, c'est profiter pleinement de chaque jour et
de chaque saison pour ne rien regretter ensuite.

Combien d'années aimerions-nous vivre ? Si l'on
nous donnait la possibilité de vivre deux siècles ou éternellement, combien d'entre nous accepteraient cette proposi-
tion ? Prendre conscience de cela nous aide à comprendre

le sens de notre vie. En réalité, nous ne souhaitons pas exister au-delà du temps qui nous est dévolu. Il serait désespérant de rester dans un monde incompréhensible et totalement étranger.

• EKR

Un homme nous parle de sa mère âgée de quatre-vingt-douze ans :

« Je l'ai emmenée dans sa ville natale, Dallas, pour quelques jours de vacances. Nous sommes montés dans un avion flambant neuf. J'ai observé ma mère tandis qu'elle s'efforçait vainement d'ouvrir la porte des toilettes, dotée de ces nouvelles poignées extérieures encastrées. Elle avait l'habitude des mécanismes traditionnels. Tôt, le lendemain matin, l'alarme-incendie s'est déclenchée à l'hôtel. Je me suis précipité vers la chambre de ma mère et je l'ai trouvée devant sa porte en chemise de nuit, effrayée. Elle était exaspérée parce qu'elle avait oublié de prendre sa clé magnétique et que la porte s'était refermée derrière elle. Elle était dans un état de panique, ne sachant pas si elle pourrait rentrer à nouveau dans sa chambre, sans parler du fait qu'elle n'était pas habillée. À notre retour, elle m'a dit : "Je n'appartiens plus à ce monde. Je ne sais pas utiliser un four à micro-ondes, ni changer de chaîne de télévision, ni ouvrir une porte avec ces cartes magnétiques, et tous mes amis ont disparu. Le temps a passé, mais j'ai été abandonnée sur le bord de la route." C'était dur à entendre. Mais je dois dire qu'en repensant au voyage j'ai compris qu'elle avait raison : la vie était devenue trop compliquée, trop frustrante pour elle. »

Le ciel que l'on contemple le soir est une représentation du passé tel qu'il était il y a quelques dizaines ou quelques millions d'années, selon le temps que met la lumière pour parcourir la distance qui sépare la terre des étoiles les plus proches.

D'une certaine manière, le même phénomène caractérise les relations humaines. Pensez, par exemple, à ce voisin fauteur de troubles qui vous agaçait quand vous étiez jeune. Si vous le rencontriez aujourd'hui, vous seriez sur vos gardes car vous le considéreriez non pas tel qu'il est aujourd'hui, mais tel qu'il était à l'époque.

Combien d'entre nous voient leurs parents tels qu'ils sont aujourd'hui ? C'est extrêmement difficile, car durant notre enfance, nous les considérions comme des géants pleins de sagesse. En grandissant, nous gardons d'eux le souvenir de terribles « emmerdeurs » qui nous empêchaient d'avoir les cheveux longs, de sortir le soir, ou de bâcler nos devoirs. Si vous rencontriez le père d'un ami aujourd'hui, votre impression de lui serait sans doute plus objective que celle de son fils parce que votre jugement ne serait pas faussé par les réminiscences du passé. Toutefois, il serait altéré par l'idée que vous vous faites des pères en général. Si cet homme était plombier, vous l'assimileriez à l'image que vous avez des plombiers. S'il était âgé, votre impression serait influencée par l'idée que vous vous faites des personnes âgées, etc. Vous verriez le passé en lui, mais d'une manière différente de celle de votre ami.

Il en est de même dans bien d'autres circonstances de la vie quotidienne. Pour un enfant élevé dans une famille pauvre, l'arrivée du courrier est un événement triste, parce que ses parents sont terrifiés à l'idée de recevoir un avis de saisie. Cet autre garçon adore le courrier parce qu'il trouve souvent dans la boîte aux lettres des bons d'achat ou une invitation à l'anniversaire d'un ami. Aujourd'hui, ces deux enfants sont devenus adultes. Le premier ressent un vague malaise à l'arrivée du facteur, tandis que l'autre l'attend avec enthousiasme. Leurs réactions n'ont rien à voir avec le contenu des enveloppes, car ils le perçoivent avec leurs yeux du passé.

D'une manière générale, notre perception des autres est faussée, tout comme l'image que nous avons de nous-mêmes. Nous nous percevons généralement comme nous étions autrefois, et non tels que nous sommes aujourd'hui.

Prendre conscience de ce phénomène engendre un merveilleux sentiment de liberté. Il n'est nullement nécessaire de rester enchaîné à son passé. Nombreux sont ceux qui se réveillent le matin, prennent leur douche pour se débarrasser de la saleté de la veille, mais qui conservent la « crasse » émotionnelle du jour précédent. Ce n'est pas une fatalité. On peut très bien repartir chaque matin frais et dispos, l'esprit neuf, si l'on fait l'effort de se focaliser sur le présent, de voir l'existence telle qu'elle est. Lorsqu'on ne vit pas dans l'instant présent, on ne voit pas les autres tels qu'ils sont, et l'on ne se voit pas tel que l'on est. En outre, on ne peut pas être heureux quand on est prisonnier du passé. Il ne faut pas le rejeter, mais il est indispensable d'en avoir une vision réaliste et d'aller de l'avant.

Jack avait le don de vivre dans l'instant présent. Coureur à pied – il a participé à plusieurs marathons –, il donnait toujours l'impression d'être pleinement là. Lorsqu'il entrait dans une pièce, il regardait autour de lui comme si tout était nouveau, même s'il y était déjà venu à mille reprises auparavant. Quand il vous accueillait et demandait de vos nouvelles, il était extrêmement attentif. Il écoutait réellement les autres, il ne pensait pas à ce qu'il mangerait à midi, à son rendez-vous du soir, ou à ses problèmes d'ordinateur. Jack était toujours présent, de façon tangible, avec vous et pour vous.

Malheureusement, il développa un type de lymphome particulièrement cruel pour lui puisqu'il affectait ses jambes, qui avaient énormément gonflé et faisaient de lui un invalide. Pourtant, l'aggravation de son état n'entrava en rien sa faculté de vivre l'instant, bien au contraire. Quand on venait prendre de ses nouvelles, on avait l'impression qu'il examinait minutieusement son état physique et psychologique pour donner la réponse la plus objective possible. De la même manière, lorsqu'il prenait des nouvelles de ses visiteurs, il était tellement attentif que l'on se sentait intimement lié à lui. Non seulement il ne ressassait jamais le passé, mais une fois qu'il s'était exprimé, il ne revenait plus sur ce qu'il avait dit et se consacrait totalement aux autres. Il savait profiter de l'instant présent et vous incitait à faire de même. On ne pouvait lui donner des réponses stéréotypées à des questions du type « Comment vas-tu ? », ou « Quelles nouvelles ? ». Il nous forçait à réfléchir et à répondre avec franchise. Il voulait vivre chaque instant, afin de ne pas passer à côté de quelque chose d'important. En automne, Jack ne pensait jamais à l'été précédent. En hiver, il n'attendait pas impatiemment les beaux jours. Il était pleinement présent dans chaque saison de sa vie.

Quand on rencontre un homme comme Jack, on comprend mieux comment le présent peut être « kidnappé » par le passé et l'avenir. Vous ne pouvez imaginer à quel point vous vous sentiriez mieux si vous vous libériez du passé, immédiatement, pour vivre l'instant présent.

Lorsque vous parlez à votre conjoint, entrez pleinement dans la conversation au lieu de penser, par exemple, au cours que vous devez donner ce soir. Après, et après seulement, concentrez-vous sur la préparation de ce cours. Votre relation avec votre conjoint n'en sera que meilleure et votre cours ne se déroulera que mieux. Chaque chose en son temps.

Nous accordons trop d'importance au futur. Certains vivent dans le futur, d'autres en rêvent, d'autres encore le redoutent. Ces trois attitudes nous éloignent du moment présent. Un homme d'une cinquantaine d'années, qui avait dû quitter son emploi à la suite d'une maladie, se réveilla une nuit en proie à une vive angoisse. Il ouvrit son carnet de rendez-vous et constata que toutes les pages étaient vierges pour les semaines à venir. Son avenir semblait littéralement se résumer à un vide absolu. Il me dit que sa maladie a ceci de positif qu'elle l'incite à oublier le passé, mais aussi le futur. C'est en consultant fiévreusement son carnet de rendez-vous, cette nuit-là, qu'il avait pris conscience de cela. Il dut s'extraire de la structure même du temps telle que nous la connaissons. Ainsi, il put commencer à découvrir sa nature profonde et sa relation au temps. Au début, il fut bien obligé de constater que le temps, tel qu'il le connaissait, se « détraquait » petit à petit. Ainsi, par exemple, aux amis qui l'appelaient pour savoir à quelle heure ils pourraient venir le voir, il répondait que n'importe quand ferait l'affaire, que cela n'avait pas d'importance. Il comprit alors qu'il continuait à exister même si son « temps » avait complètement changé de nature. En approfondissant sa réflexion, il s'aperçut qu'il continuerait à exister même si la notion de temps disparaissait : « Plus le temps artificiel se décompose, et plus je réalise que j'ai vécu et que je mourrai en temps voulu. Et je commence à percevoir intuitivement que je suis éternel et que j'existerai au-delà du temps. Nous sommes éternels, par essence. »

La réalité du temps est telle que nous ne pouvons avoir aucune certitude sur le passé. Nous ne savons pas s'il s'est bien déroulé comme nous le pensons. Et, évidemment, nous ignorons de quoi sera fait le futur. En fait, nous ne savons même pas si le temps est linéaire.

Nous situons le passé *avant* et le futur, *après*, mais pour que cela soit vrai, il faudrait que le temps s'écoule de manière linéaire. Les scientifiques pensent que le temps ne l'est pas, que nous ne sommes pas prisonniers du schéma temporel rigide passé-présent-futur. Dans le temps non linéaire, le passé, le présent et le futur existent au même moment.

Et même si cette hypothèse se confirmait, cela changerait-il quelque chose à notre existence ?

• DK

Frank et Margaret ont vécu un bonheur sans nuage pendant cinquante ans. Profondément amoureux l'un de l'autre, ils étaient inséparables. Lorsque Margaret apprit qu'elle avait un mal incurable, elle eut cette réaction : « Je peux accepter la maladie, je peux accepter la mort, mais je ne supporte pas la perspective d'être séparée de Frank. »

Plus sa maladie progressait, plus Margaret était perturbée par cette perspective. Quelques heures avant de mourir, parfaitement lucide car elle n'avait pris aucun médicament, elle s'est tournée vers Frank, qui était assis à son chevet :

— Je vais bientôt partir et, tout compte fait, c'est très bien comme ça.
— Comment peux-tu dire cela ?
— On vient de me dire que là où je vais, tu seras présent.

Est-il possible que Frank pût se trouver simultanément dans cette chambre d'hôpital et au paradis en train d'attendre sa bien-aimée ? Peut-être. Ou peut-être que cette question est liée à notre perception du temps. Frank, qui vit dans le temps, devra attendre cinq, dix ou vingt ans avant de retrouver Margaret. Mais si Margaret se retrouve dans un espace où celui-ci n'existe plus, elle aura l'impression que Frank est arrivé une seconde après elle. Le temps est plus long pour les vivants que pour les morts.

Quand un patient se sait atteint d'une maladie incurable, sa conception du temps change complètement. Brusquement, il a peur d'en manquer. C'est là une autre contradiction inhérente à la vie : en passant de l'abstrait au réel, on découvre pour la première fois que son temps est limité. Mais les médecins peuvent-ils vraiment affirmer qu'un malade n'en a plus que pour six mois ? On peut connaître la durée moyenne de survie pour telle ou telle maladie, mais on ne peut pas connaître la date exacte de sa mort. Il faut accepter la réalité de cette incertitude. Parfois, dans un éclair de lucidité, on comprend cette vérité. Au terme de leur vie, les gens veulent savoir combien de temps il leur reste, mais ils découvrent rapidement que c'est impossible. On dit souvent d'un proche qu'il est mort trop jeune, que sa vie est « inachevée », mais pour qu'elle soit « complète », il suffit que deux conditions soient remplies : naître et mourir. En fait, on considère en général qu'une existence n'est complète que si la personne a vécu quatre-vingt-dix ans et que sa vie a été réussie. Dans tous les autres cas, on décrète que sa mort a été prématurée.

Beethoven n'avait « que » cinquante-cinq ans lorsqu'il est mort, pourtant ce qu'il a accompli est prodigieux. Jeanne d'Arc n'avait même pas vingt ans quand elle fut conduite au bûcher, et pourtant on la vénère encore aujourd'hui. John Fitzgerald Kennedy junior est mort en même temps que sa femme et sa belle-sœur à l'âge de trente-huit ans. Il n'avait jamais eu de mandat électif, mais il fut plus aimé que bon nombre de présidents des États-Unis. Ces parcours étaient-ils incomplets ? Cette question nous ramène à une conception de la vie, où tout est mesuré et jugé de manière arbitraire. Que savons-nous des leçons que les autres sont supposés apprendre, de leur destinée et de la durée de vie qui leur a été impartie ? La réalité, difficile à accepter, c'est que nous ne mourrons jamais trop tôt : nous mourrons quand notre heure aura sonné.

La difficulté – la grande difficulté – c'est de vivre pleinement l'instant présent, c'est de comprendre qu'il recèle toutes les occasions de bonheur et qu'il ne faut pas les gâcher en reportant tous ses espoirs sur le futur. En renonçant à ces attentes, nous pourrons vivre dans un espace béni : ici et maintenant.

8

LA LEÇON DE LA PEUR

• DK

Christopher Landon, fils de l'acteur Michael Landon, avait seize ans en 1991 à la mort de son père. Il évoque pour nous cette période douloureuse :

« Comme vous pouvez l'imaginer, son décès a eu un énorme impact sur moi. J'ai eu de terribles accès de nostalgie. Mon père était tellement brillant, charmant et spirituel. Sa personnalité complexe comportait de nombreux aspects ignorés du public. Sa mort a représenté l'événement le plus important de ma vie. Je n'étais plus le même après. J'étais un enfant timide, très introverti et manquant d'assurance. Quand on grandit aux côtés d'un père entouré d'une telle aura, on reste toujours un peu dans son ombre. Sa mort, ce fut un peu comme si cette ombre avait disparu tout d'un coup.

Ayant constaté que bon nombre de mes peurs s'étaient évanouies après sa disparition, je me suis mis à réfléchir sur la question de la mort. La perte d'un être cher établit notre première relation avec celle-ci. Nous la côtoyons de près et elle nous semble moins effrayante. J'ai assisté au décès de mon père, j'ai alors touché la mort de près et elle m'a touché, elle est aujourd'hui pour moi quelque chose de tangible. Elle est aussi moins inquiétante. Tout est devenu moins inquiétant. Ce ne sont plus les mêmes choses qui m'effraient aujourd'hui. Ainsi, j'avais très peur de prendre l'avion. Cela faisait bien rire mon père. Après sa mort, cette appréhension, et beaucoup d'autres, ont diminué d'intensité. Ce n'était pas un phénomène conscient, mais je me suis mis à faire des choses qui ne me ressemblaient pas du tout, avec beaucoup d'assurance.

Jusque-là, à chaque tournant de ma vie, je reculais. J'avais peur d'échouer, ou d'être ridicule. Aussi, la plupart du temps, je laissais passer des occasions d'avancer. Et puis, mon père est parti, et j'ai dû regarder la mort en face. J'ai compris que l'on peut disparaître à tout moment, et que l'on devrait affronter chaque difficulté en ayant conscience de cela. J'ai commencé à me sentir mieux dans ma peau. Comme je n'avais plus peur de moi-même, de ce que je suis ou de ce que je pourrais être, j'ai commencé à prendre quelques risques, à entreprendre des choses. Je ne me suis pas mis au parachutisme ou à d'autres activités aussi extrêmes, mais j'ai quand même trouvé la force de partir de la maison pour aller faire des études en Angleterre. Quitter le confort et la sécurité du cocon familial représenta une étape très importante de mon existence. J'ai appris à me jeter à l'eau et à voir venir. Ce fut vraiment un grand pas en avant pour moi. Je crois fermement que le chagrin joue un grand rôle dans l'évolution d'une personne. »

La leçon de la peur

Pourquoi ne pas saisir les occasions qui nous sont offertes, pourquoi ne pas affronter nos angoisses ? Pourquoi ne pas aller de l'avant, réaliser nos rêves, suivre nos désirs ? Et pourquoi ne pas s'autoriser à vivre l'amour sans contraintes et à rechercher des relations épanouissantes ? Si nous nous comportions de la sorte, nous vivrions dans un monde sans peur. C'est peut-être difficile à croire, mais la vie offre bien plus de possibilités qu'on ne le croit lorsqu'on se libère de son appréhension. Il existe un monde nouveau en nous, et à l'extérieur de nous, un monde sans peur qui ne demande qu'à être découvert.

La peur est un signal d'alarme indispensable. Quand nous traversons un quartier dangereux, le soir, elle nous met en garde contre un risque d'agression réel. Dans des situations potentiellement dangereuses, la crainte est un signe de santé. Elle nous protège. Sans elle, nous ne survivrions pas longtemps.

Mais il est aussi très courant d'éprouver ce sentiment alors qu'aucun danger ne menace. Ce genre de peur est artificielle. Cette perception peut sembler réelle, mais elle n'est pas fondée sur une réalité. Pourtant, cette angoisse nous empêche de dormir la nuit, ou tout simplement de vivre. Elle n'a apparemment pas de raison d'être, mais elle est impitoyable : elle nous paralyse et nous affaiblit si nous la laissons agir. On pourrait qualifier ce genre de peur de « faux témoignage qui a toutes les apparences de la réalité ». Elle trouve son origine dans le passé et déclenche la crainte de l'avenir. Ces paniques forgées de toutes pièces ont cependant une raison d'être : elles nous donnent l'occasion d'apprendre à aimer. Elles sont les « porte-parole » de notre âme qui réclame à cor et à cri que nous grandissions et guérissions. Elles nous donnent l'occasion de modifier nos comportements, de préférer l'amour à la peur, la réalité aux illusions, le présent au passé. Il s'agit bien

145

entendu, et pour tout le reste du chapitre, de ces peurs inventées qui nous rendent l'existence si difficile.

Surmontez vos peurs, profitez de toutes les opportunités qui s'offrent à vous, et vous pourrez alors mener l'existence dont vous rêviez, sans entraves, libérée de tout jugement, de toute crainte de l'opinion d'autrui.

• EKR

Kate, une femme énergique d'une cinquantaine d'années, évoque Kim, sa sœur jumelle :

« Il y a dix ans, Kim apprit qu'elle avait un cancer du côlon. Heureusement, ce n'était pas une forme très grave, et le diagnostic avait été précoce. Au-delà de la réaction normale d'une jumelle – "si elle meurt, c'est une partie de moi-même qui mourra" –, la maladie de Kim m'a profondément traumatisée. Comme nous sommes des vraies jumelles, non seulement nous savons tout de nos vies respectives, mais nous connaissons aussi parfaitement nos émotions. Et je me rends compte maintenant à quel point la peur nous a empêchées de vivre pleinement, elle et moi, bien avant que sa maladie ne se déclare. Avec le recul, je réalise que nous craignions tout ou presque. À Hawaii, nous voulions apprendre à danser le *hula*, mais nous avons eu la frousse de paraître ridicules. Après avoir travaillé pendant dix ans pour un traiteur, nous désirions ouvrir notre propre restaurant, mais nous avons eu peur de ne pas y arriver, aussi nous n'avons même pas essayé de poser les bases du projet. Après mon divorce, nous avons envisagé de partir en croisière.

Mais nous y avons renoncé parce que nous étions angoissées à l'idée de partir seules.

Aujourd'hui, notre existence a changé du tout au tout. Autrefois, nous vivions en permanence dans la crainte d'un événement fâcheux. Avec la maladie et l'opération de Kim, nous avons vécu notre plus grande peur. Nous avons été capables de surmonter cette épreuve, que pouvons-nous redouter de plus ? Je réalise aujourd'hui que la plupart des choses que nous craignons ne se produiront jamais. La peur n'a en général aucun rapport avec la réalité vécue. »

La plupart des événements de la vie surviennent sans crier gare. La peur n'arrête pas la mort, elle est une entrave à la vie. Même si nous avons beaucoup de mal à l'admettre, nous consacrons une grande partie de notre existence à gérer nos angoisses et leurs effets. La peur est une ombre qui bloque tout : notre vie amoureuse, nos véritables sentiments, notre bonheur, notre être profond.

Un enfant, élevé dans une famille d'accueil, était victime de maltraitance. Les services sociaux lui annoncèrent qu'il irait bientôt dans une magnifique demeure où ses nouveaux parents l'attendaient, débordants d'affection. Il aurait sa propre chambre et même un poste de télévision. Pourtant, en apprenant cela, il se mit à pleurer, en proie à une hantise incontrôlable. Il s'était habitué à sa situation. Si pénible qu'elle ait été, elle lui était devenue familière. La nouvelle maison, d'un autre côté, était pleine de dangers inconnus. Il vivait dans l'inquiétude depuis si longtemps, qu'il ne pouvait concevoir sa vie sans elle.

Nous sommes tous semblables à cet enfant. Élevés dans l'angoisse, nous n'imaginons qu'un avenir marqué par la crainte. Notre société vit de la peur. Voyez les titres des informations du soir à la télévision : « Les aliments que vous consommez sont dangereux ! », « Les vêtements de votre enfant présentent des risques pour sa santé ! », « Vos vacances pourraient vous être fatales cette année – un reportage spécial au journal de 20 heures ! »

Pourtant, parmi les événements que nous redoutons, combien vont réellement se produire ? La vérité, c'est que la corrélation entre ce que nous craignons et ce qui nous arrive effectivement est très faible. La réalité, c'est que notre alimentation est globalement saine, que les vêtements de nos enfants ne vont pas subitement prendre feu, et que nos vacances seront sans doute très agréables.

Malgré cela, notre existence est généralement régie par la peur. Les compagnies d'assurances misent sur le fait que la plupart des événements que nous redoutons ne surviennent jamais. À ce jeu, elles gagnent chaque année des millions de dollars. Il ne s'agit pas de renoncer aux assurances. Le problème est le suivant : il y a de grandes chances pour que vous passiez de merveilleux moments en pratiquant votre sport favori. Vous avez de bonnes probabilités de survivre dans le monde des affaires, voire d'y prospérer, malgré les risques et les erreurs. Il est très probable que vous rencontriez plein de gens sympathiques au cours de charmantes soirées. Pourtant, la plupart des gens vivent comme si les jeux étaient faits d'avances contre eux. Un des plus grands défis qu'il nous faut relever est d'essayer de surmonter ces craintes. La vie nous offre d'innombrables opportunités, et il nous appartient de tirer profit du plus grand nombre d'entre elles.

● DK

Troy est séropositif depuis trois ans, mais il
considère qu'il a de la chance parce que la maladie
ne s'est jamais déclarée. Physiquement, il va bien,
mais mentalement, il est paralysé par la peur. Toute
sa vie, il a souffert d'une angoisse diffuse :

« Elle n'avait rien de paralysant, elle était juste
assez forte pour m'éloigner un peu de la vie. Mais
quand j'ai appris que j'étais séropositif, je me suis
effondré. J'ai eu l'impression que toutes mes peurs
s'étaient liguées contre moi pour m'anéantir. Mon
ami, Vincent, est toujours à mon côté. Il me répète
sans cesse que je suis plus fort que mes peurs. "Va de
l'avant, m'encourage-t-il, affronte-les. Invite ta pire
crainte à déjeuner et tu verras qu'elle n'a pas autant
de pouvoir sur toi que tu ne le crois." Je me suis dit :
"Affronter mes peurs, aller de l'avant ? C'est déjà
assez dur comme ça de vivre avec le sida." À vrai
dire, ses conseils m'exaspéraient plus qu'autre chose.
Personne ne savait mieux que moi à quel point mon
angoisse me rongeait. J'étais entre deux boulots
quand un collègue de Vincent m'a contacté. Sa sœur,
Jackie, avait le sida et venait de sortir de l'hôpital. Il
avait beaucoup de mal à trouver une personne susceptible de s'occuper d'elle et il voulait savoir si cela
pouvait m'intéresser. Je lui ai dit que j'y réfléchirais
et que je le rappellerais. Ensuite, je suis allé voir Vincent pour lui demander conseil. Il m'a dit que cette
fille avait désespérément besoin d'aide et que moi,
c'était de l'argent qu'il me fallait. Je l'ai interrogé sur
son état de santé et il m'a dit qu'elle était apparemment en phase terminale. À ces mots, toutes mes
peurs remontèrent à la surface :

— Alors on pense que je peux prendre soin d'elle parce que je suis, moi aussi, gravement malade ?

— Non, répondit Vincent. On pense que tu n'auras pas peur de cette maladie parce que tu l'as toi aussi.

"Ça alors ! ai-je pensé, ils ne peuvent pas se tromper plus lourdement !" Je n'arrivais pas à me décider, j'avais trop peur. Vincent me dit que je n'étais pas obligé de m'occuper d'elle si je n'en avais pas envie, mais il pensait que je devais au moins la rencontrer. J'ai d'abord refusé, puis je me suis dit que cela faisait trop longtemps que je vivais dans la peur. J'ai donc décidé de me secouer un peu. J'ai demandé à Vincent de m'accompagner chez elle. Arrivé devant sa porte, je me suis retourné vers lui et je lui ai dit :

— Excuse-moi, Vincent, mais vraiment, je ne peux pas.

— OK, on va rentrer et les appeler.

Mais j'ai regardé à nouveau la porte. Là, juste derrière, se trouvaient toutes mes craintes. Je décidai de les affronter et de voir ce qui se passerait. Une force m'a poussé à entrer. À l'intérieur, j'ai vu cette fille assise dans un fauteuil roulant. Elle ne devait pas peser plus de 40 kilos. Elle avait eu une double attaque cérébrale et avait beaucoup de mal à s'exprimer. Elle avait d'immenses yeux marron où se lisait la terreur. C'était écrit sur son front : "Je vais mourir. J'ai peur de mourir seule, j'ai peur de me retrouver toute seule, j'ai peur que tu t'en ailles." Mes angoisses les plus terribles étaient là, devant moi ! Je l'ai regardée et une immense tristesse m'a envahi. Une voix intérieure ne cessait de me dire : "Fais un pas en avant, entre dans ta peur !" J'ai fermé les yeux et j'ai dit : "Je peux commencer aujourd'hui, si vous voulez."

J'ai compris que j'avais besoin de l'aider, d'aider cette inconnue. Plus tard, j'ai appris que ses parents ne voulaient plus la voir depuis qu'elle avait le sida. C'est pour cela qu'ils étaient prêts à payer quelqu'un qui prenne soin d'elle. Ils attendaient simplement qu'elle meure. Elle avait deux amies qui venaient lui rendre visite de temps à autre, mais pas très souvent. Au début, je me suis occupé d'elle à temps partiel, puis à plein temps. Au bout de quelque temps, je suis devenu son meilleur ami. Je ne me croyais pas capable de surmonter mes peurs, et pourtant, c'est bien ce qui s'est passé. Enfin, j'ai fini par l'aimer.

Vers la fin, elle a dû être hospitalisée à nouveau. Elle voulait que je reste auprès d'elle, car elle était terrorisée. Le dernier jour, je suis allé la voir. L'hôpital avait appelé ses parents ; ils sont venus, mais sont restés dans la salle d'attente. Je me suis assis à son chevet, plongeant mon regard dans ses beaux yeux immenses. Je lui dis que j'étais à son côté. Je pouvais sentir son angoisse. Je n'avais jamais ressenti quelque chose d'aussi intense. Puis, j'ai de nouveau entendu cette voix intérieure : "Vas-y, cette peur n'a pas de pouvoir sur toi." Alors je lui ai dit : "Je vais rester là et tenir ta main jusqu'à ce qu'ils t'emmènent de l'autre côté. Là-bas, ce sera à leur tour de s'occuper de toi. N'aie pas peur, Jackie, n'aie pas peur." Puis elle est morte. Son buste immobile indiquait qu'elle avait cessé de respirer.

Des employés de la morgue sont venus la chercher. Ils étaient nerveux et inquiets parce que personne ne leur avait dit qu'elle avait le sida. Ils appréhendaient de la toucher, aussi, avec l'aide d'une infirmière, j'ai placé le corps dans la housse mortuaire. J'en avais assez de sentir toute cette peur autour d'elle. Je me suis dit : "Ça suffit !" Je préférais faire le boulot moi-même plutôt que de la laisser avec ces types. Ce fut la chose la plus dure que j'aie jamais faite de ma vie. Je continuais à lui dire : "N'aie pas peur, Jackie, n'aie pas peur." »

Troy a combattu ses angoisses avec l'arme de l'amour et il les a vaincues. La bonté est toujours la plus forte. C'est comme cela que nous pouvons la terrasser, car elle ne peut rien contre l'amour. Le pouvoir de la peur ne repose sur rien. Il suffit de faire un pas en avant pour le vaincre.

La peur peut adopter plusieurs formes : peur de prendre la parole en public, d'aller à un rendez-vous amoureux, de la solitude, etc. Souvent, il est plus facile de renoncer que de prendre le risque d'être rejeté. De fait, nos craintes sont difficiles à cerner parce qu'elles sont disposées en couches successives. Il faut les « éplucher » l'une après l'autre pour atteindre la peur fondamentale qui soustend toutes les autres. Il s'agit généralement de la peur de la mort.

Supposons que vous soyez extrêmement inquiet à propos d'un projet professionnel. « Épluchez » cette angoisse et, en dessous, vous trouverez la peur de mal faire. En dessous, vous découvrirez d'autres couches : la crainte de ne pas obtenir l'augmentation attendue, de perdre son emploi, et finalement, de ne pas survivre, qui est essentiellement la peur de la mort et qui sous-tend bon nombre d'inquiétudes liées au travail et aux finances.

Considérons à présent la peur d'inviter quelqu'un à sortir. Cette appréhension est sous-tendue par celle du rejet, elle-même sous-tendue par la crainte de se retrouver seul dans la vie. À un niveau encore inférieur, se trouve la hantise d'être repoussant. Sans amour, comment pourrait-on survivre ? Dans ce genre de situations, l'angoisse fondamentale est celle de ne pas être à la hauteur. Pourquoi certains restent-ils à l'écart lors de soirées ? C'est parce qu'ils pensent qu'ils n'intéressent personne. Les autres sont charmants, beaux, gentils, passionnants mais pas eux.

En réalité, tout cela n'est qu'une expression de la peur de la mort, dont on peut affirmer qu'elle est en grande partie responsable de notre mal-être. Sans nous en rendre compte, notre appréhension affecte nos proches. À cause d'elle, nous restons en retrait dans notre vie personnelle et professionnelle. Comme toute angoisse s'enracine dans la peur de la mort, il est nécessaire d'apprendre à s'en libérer pour être en mesure d'affronter plus facilement toutes les autres.

Les malades en phase terminale, qui sont les plus concernés par cette peur fondamentale, découvrent qu'elle ne les écrase pas, qu'elle n'a plus de pouvoir sur eux. Ils ont appris qu'il s'agissait d'une chose sans importance. Mais, pour tous les autres, elle demeure bien réelle.

Si vous pouviez éliminer toutes vos craintes d'un coup de baguette magique, qu'est-ce que cela changerait pour vous ? Pensez-y. Si rien ne s'opposait plus à la réalisation de vos rêves, votre existence serait probablement très différente. C'est ce que les mourants ont découvert. L'approche de la mort nous confronte à nos pires inquiétudes. Elle nous aide à comprendre qu'une vie différente est possible et, par conséquent, que nos peurs n'ont plus de raison d'être.

Malheureusement, quand ils prennent conscience de cela, la plupart des gens sont trop mal en point ou trop âgés pour commencer une nouvelle vie. Ils sombrent dans la maladie et la vieillesse sans avoir jamais pu vivre leurs passions secrètes, sans avoir jamais pu trouver le travail qui leur convenait, et sans jamais avoir pu réaliser leurs rêves. Ceux qui ont pu les concrétiser n'échapperont ni à l'âge ni à la maladie mais au moins ils ne seront pas accablés de regrets. Personne ne souhaite partir sans avoir profité de sa vie. Dans ces conditions, la leçon est claire : nous devons transcender nos peurs tant que nous avons encore le temps de réaliser nos rêves.

Pour atteindre ce but, il faut réfléchir en profondeur sur sa vie affective, et aller vers l'amour.

Le bonheur, l'angoisse, la joie, l'amertume : nous disposons d'un vocabulaire étendu pour décrire les nombreuses émotions qui nous affectent durant notre existence. Pourtant, au cœur de notre être, il n'y a que deux sentiments fondamentaux : l'amour et la peur. Tout ce qui est positif est issu de l'amour, tandis que tout ce qui est négatif est le fruit de la peur. L'amour engendre le bonheur, la satisfaction, la paix et la joie. De la peur viennent la colère, la haine, l'angoisse et la culpabilité.

S'il est vrai qu'il n'existe que deux émotions fondamentales – l'amour et la peur –, il serait cependant plus approprié de dire qu'il n'existe que l'amour *ou* la peur, car on ne peut les éprouver en même temps. Elles sont opposées. Lorsqu'on a peur, on ne peut pas aimer, et inversement. Pouvez-vous vous souvenir d'un temps où vous éprouviez ces deux sensations en même temps ? C'est impossible.

Il faut choisir entre les deux, car il n'y a pas de neutralité possible en la matière. Si vous ne prenez pas résolument le chemin de l'amour, vous serez victime de la peur ou d'une de ses composantes. Dans toutes les circonstances, nous devons opter entre ces deux émotions, surtout dans des situations difficiles.

Préférer l'amour ne vous débarrassera pas de vos peurs. Au contraire, vous serez sujet à de nombreuses craintes, afin que vous puissiez les surmonter. C'est un processus en perpétuelle évolution. Il nous faut donc continuellement s'engager dans le chemin de l'amour afin de nourrir notre esprit et éliminer l'angoisse, tout comme nous mangeons pour alimenter notre corps et éliminer la faim. Ce fut exactement la démarche de Troy vis-à-vis de Jackie : il a continuellement pris la *voie* de la bonté et délaissé celle de la peur. Il a compris qu'il y avait quelque chose de plus important que ses propres appréhensions : rendre service à un être humain en grande difficulté. Cela ne signifie pas qu'il soit immunisé pour toujours contre la peur. Chaque fois qu'elle se manifestera à nouveau, il lui faudra se tourner vers l'amour, dans l'ici et maintenant.

Les peurs artificielles concernent soit le passé, soit l'avenir. Le présent est la seule réalité, et l'amour la seule véritable émotion qui s'exprime ici et maintenant. La peur est toujours fondée sur un événement passé et elle suscite en nous des craintes concernant le futur. Dans ces conditions, vivre dans le présent, c'est vivre dans l'amour, et non dans l'angoisse. Vivre dans l'amour est donc notre objectif. Pour l'atteindre, il faut apprendre à s'aimer soi-même.

● EKR

Nous sommes malheureusement nombreux à vivre dans la peur. C'est le cas de Joshua, un graphiste âgé de trente-cinq ans. Il a fait les beaux-arts et rêvait d'être peintre, mais il consacre aujourd'hui le plus clair de son temps à réaliser des cartes de visite pour un imprimeur.

Ce jeune homme avait autrefois des projets grandioses, pourtant il a toujours eu peur de tenter sa chance. « Il n'y a rien à faire, dit-il, je fais partie de ces gens qui ne réussissent jamais. »

Alors que nous évoquions ensemble son problème, j'essayais de comprendre l'origine de cette piètre image qu'il avait de lui-même. On ne pouvait pas dire qu'il avait souffert d'un échec terrifiant ou d'une grave humiliation, puisqu'il n'avait plus touché un pinceau depuis la fin de ses études. Nous examinions sa vie en long et en large lorsqu'il évoqua soudainement son père, à présent décédé : « Il voulait entreprendre des tas de choses, mais il était incapable de les concrétiser. Il était comme moi, une sorte de raté. »

Au cours de notre conversation, nous nous sommes rendu compte qu'aucune raison évidente ne pouvait expliquer l'incapacité de son père à réaliser ses rêves.

— Pourquoi dites-vous que votre père était « une sorte de raté » ? lui ai-je demandé. Était-il idiot ? Incapable de s'entendre avec les autres ? Dépourvu de talent ? Avait-il subi de nombreux échecs dans sa vie ?

Joshua réfléchit un long moment avant de répondre :

— Non, il n'avait apparemment aucun problème. Il était intelligent, talentueux et il s'entendait bien avec les gens. Il aurait pu réussir tout ce qu'il voulait, mais il n'a jamais essayé. Et il disait toujours : « Dans notre famille, on n'arrive jamais à rien. » Je me souviens même qu'à la fin de sa vie, il avait pensé contacter un vieil ami d'enfance qu'il avait perdu de vue depuis vingt ans. Mais il n'en a rien fait, parce qu'il pensait que ce type ne souhaiterait pas le revoir après tant d'années.

Joshua sembla soudain accablé :

— Je le comprends parfaitement. J'ai toujours l'impression de ne pas être à la hauteur, d'être un peintre raté.

Le problème de ce jeune homme n'était pas lié au fait qu'il concevait des cartes de visite au lieu de tableaux ; en réalité, il avait un complexe d'infériorité et ne se croyait pas capable de réaliser sa vocation. Je lui ai demandé ce qu'il ferait, là, maintenant, s'il n'avait pas peur. Il m'a répondu qu'il suivrait des cours de peinture. Ce serait un bon moyen de combattre ses angoisses.

— Votre père n'aurait pas agi ainsi, n'est-ce pas ?

— C'est vrai, papa est mort sans jamais avoir pu surmonter ses peurs, répondit-il après un moment de réflexion.

Joshua avait la possibilité de mener une vie différente, moins marquée par la peur. Peut-être deviendra-t-il un grand peintre, ou bien sera-t-il très heureux de pratiquer cet art uniquement pour son plaisir. Dans tous les cas, ni sa vie ni sa mort ne seront gâchées par la peur.

Nous sommes tous confrontés à la perspective de la mort, mais pour les mourants, elle est une réalité presque tangible. Face à celle-ci, ils prennent davantage de risques, parce qu'ils n'ont plus rien à perdre. Ils disent qu'ils éprouvent un bonheur indicible quand ils comprennent qu'il n'y a rien à craindre. C'est la peur elle-même qui nous rend si malheureux, et non ce que nous redoutons. Elle se cache sous de nombreux déguisements – colère, protection, réclusion. Nous devons peu à peu transformer cette angoisse en sagesse, en accomplissant de petites choses qui la provoquent habituellement. Votre peur a d'autant plus de pouvoir sur vous que vous ne faites rien pour la surmonter. Apprenez à utiliser le pouvoir de l'amour et de la bonté pour la vaincre.

La compassion – c'est-à-dire l'amour et la bonté qui sont en vous – peut être d'un grand secours dans ce combat. Quand vous aurez peur, ayez de la compassion.

Il vous arrive peut-être de vous éloigner d'une personne atteinte d'une maladie, même légère, par crainte d'attraper son mal. La prochaine fois, faites preuve de commisération, car vous ne pouvez ignorer ce qu'éprouve quelqu'un qui souffre.

Quand vous doutez de vous-même, quand vous pensez ne pas être à la hauteur, ayez de la compassion envers vous-même. Imaginez que vous ayez préparé un rapport sur un projet formidable et que vous ayez peur de le montrer à votre patron. Vous pourriez vous dire : « J'ai peur qu'il rejette mon rapport. Je ne suis vraiment pas à la hauteur. Je vais être viré. » Si vous vous focalisez sur ces craintes, elles ne feront que croître. Mais supposons que vous éprouviez de la compassion envers vous-même, que vous reconnaissiez avoir fait tout votre possible pour préparer au mieux ce compte rendu, ce qui est la seule chose importante. Si vous craignez toujours la réaction de votre patron, ayez de la compassion pour lui en sachant qu'il s'efforce seulement de bien faire son travail. Si vous adoptez cette attitude, la compassion et l'amour dissiperont votre peur. Vous serez surpris de constater à quel point cela est efficace.

Si vous craignez d'aborder les gens lors d'un cocktail parce que vous ne les connaissez pas, sachez que la plupart d'entre eux sont dans la même situation que vous. La plupart des invités leur sont inconnus et ils ont peur que personne ne leur adresse la parole. Certains d'entre eux préféreraient filer à l'anglaise et rentrer chez eux. Sachez qu'ils aimeraient être traités avec commisération, tout comme vous. Cette pratique chassera votre peur et il vous sera beaucoup plus facile de les approcher.

Quand vous aurez compris que la peur concerne tout un chacun, vous serez plus attentif aux autres et la vie vous semblera moins inquiétante. Au tréfonds de leur être, le patron, le malade ou le fêtard sont des gens qui ont peur, tout comme vous, et qui méritent de la compassion, comme vous-même.

Vivre angoissé, ce n'est pas vraiment vivre. Chacune de nos pensées renforce notre peur, ou bien accroît notre amour, qui engendre l'amour, comme la peur engendre la peur, surtout quand elle est cachée.

La vraie liberté consiste à faire ce que nous redoutons le plus. Allez de l'avant et vous trouverez la vie. Rester dans son cocon, prisonnier de toutes ses craintes inquiétudes et angoisses, est extrêmement dangereux. Ne faites pas de la peur la compagne de votre existence. En prenant de la distance par rapport à celle-ci, vous constaterez avec surprise que vous vous sentez en parfaite sécurité. Aimez sans retenue, exprimez-vous en toute liberté, et éprouvez de la compassion sans craindre de vous perdre. Vous en êtes capable !

Dès lors que l'on a surmonté ses peurs, la vie prend un nouveau cours. Au bout du compte, l'amour n'est plus que l'abandon de toutes nos craintes. Comme le disait Helen Keller : « La vie est une aventure audacieuse, ou alors elle n'est rien. » Dès lors que l'on a assimilé les leçons de la peur, on peut mener une vie merveilleuse, au-delà de ses rêves.

9

LA LEÇON DE LA COLÈRE

Une infirmière de garde aux urgences d'un hôpital du Midwest reçut un appel du médecin chef l'informant de l'arrivée de cinq personnes dans un état critique. La situation, déjà stressante, était compliquée par le fait qu'un des blessés était le mari de cette infirmière. Les quatre autres, qu'elle ne connaissait pas, étaient les membres d'une même famille. Malgré tous les efforts des médecins et des infirmières, les cinq blessés décédèrent.

Quelle avait été la cause de leur mort ? L'effondrement d'un bâtiment ? Un accident de car ? Un tireur fou ? Un incendie ?

Non, seule la colère en était responsable.

Le conducteur d'une voiture voulait en doubler une autre sur une petite route de campagne. Mais aucun des deux ne voulut céder. Côte à côte, ils firent la course, manœuvrant pour prendre la tête, en proie à une rage folle. Ni l'un ni l'autre ne virent à temps la voiture qui arrivait en face.

Le mari de l'infirmière était l'un de ces deux conducteurs en colère.

Ces deux hommes ne se connaissaient pas, ils ne s'étaient jamais rencontrés. Ils n'avaient aucune raison de se haïr de la sorte, pourtant, une fureur inouïe s'était emparée d'eux uniquement parce que l'un avait voulu doubler l'autre. L'automobiliste qui survécut fut inculpé.

Trois familles virent leur vie brisée par cet événement tragique dû à la colère, laquelle, selon certains spécialistes, est la cause principale des accidents de la route aux États-Unis.

Nous avons tous des moments d'emportement au volant, mais, fort heureusement, peu d'entre nous sont impliqués dans de telles tragédies. Cependant, même si ce cas est extrême, il doit nous inciter à exprimer notre colère d'une manière saine, afin de pouvoir la maîtriser avant qu'elle ne s'empare complètement de nous.

La colère est une émotion naturelle qui, normalement, ne devrait durer quelques secondes, voire quelques minutes. Ainsi, par exemple, lorsqu'un resquilleur coupe la file d'attente au cinéma, il est tout à fait normal d'éprouver ce sentiment passager. Après l'avoir naturellement et sainement exprimé, on se sent beaucoup mieux. Mais les problèmes surgissent quand notre colère prend une ampleur démesurée ou quand nous la refoulons.

La colère refoulée ne s'évapore pas comme par miracle. Elle se transforme en « travail inachevé ». Si nous refusons de la gérer, elle prendra de plus en plus d'ampleur jusqu'à ce qu'elle trouve un moyen de s'exprimer, généralement en se trompant de cible. Ces deux conducteurs en avaient tellement accumulé qu'elle a littéralement explosé lorsqu'ils se sont retrouvés en présence l'un de l'autre. En l'espace de quelques secondes, ils ont explosé comme des volcans.

La colère accumulée suscite un autre problème. Si vous êtes toujours dans cet état après avoir reçu des excuses dont vous avez reconnu la sincérité, c'est qu'il y a cn vous une vieille agressivité refoulée qui pourra resurgir par les biais les plus inattendus.

Dans nombre de familles, il est inconvenant d'exprimer la moindre colère, tandis que dans d'autres, l'incident le plus futile dégénère en accès de fureur. Dans ces conditions, il n'est guère étonnant que nous ne sachions pas exprimer sainement cette émotion naturelle. Au lieu de l'exprimer, nous essayons de l'analyser, nous nous demandons si elle est justifiée, nous l'orientons à tort et à travers, bref, nous faisons tout et n'importe quoi, sauf l'éprouver. Il s'agit pourtant d'une réaction normale et utile lorsqu'elle s'exprime au bon moment, au bon endroit, et dans de justes proportions. Ainsi, de nombreuses études ont montré que les patients colériques vivent plus longtemps. Que ce phénomène soit dû au fait que ces patients extériorisent leurs émotions ou au fait qu'on leur accorde plus de soins, nous ne le savons pas. En revanche, nous savons que la colère engendre l'action, qu'elle nous aide à maîtriser le monde environnant, mais aussi à définir les limites de notre espace. Tant qu'elle n'est pas déplacée ou violente, elle peut être une réaction utile et naturelle.

La colère étant l'un des signaux d'alarme les plus importants de l'organisme, il ne faut pas l'étouffer systématiquement. Elle nous avertit lorsque nous sommes blessés ou lorsque nos besoins ne sont pas satisfaits. Elle constitue une réaction normale et saine à de nombreuses situations. En outre, elle peut, comme la culpabilité, nous signaler que quelque chose n'est pas conforme à notre système de croyances. Piquer de temps à autre une colère – si elle est proportionnée à l'événement qui l'a provoquée – est une réaction saine. Les problèmes surgissent lorsqu'on n'arrive pas à l'exprimer de manière appropriée. On est parfois si effrayé par sa propre réaction qu'on la

163

Leçons de vie

refoule profondément, au point de ne plus en avoir conscience.

La colère ne doit pas être une horrible bête qui mine notre existence. Ce n'est qu'une émotion. Il n'est pas normal de l'analyser sur toutes les coutures ni de se demander si elle est justifiée. Ce genre d'attitude revient à s'interroger sur le bien-fondé de toutes nos émotions, dont la colère fait partie. Il faut en faire l'expérience, mais il ne faut pas juger. Comme toutes nos impressions, elle est une forme de communication ; elle nous délivre un message.

Malheureusement, nombreux sont ceux qui n'entendent plus ce message, ou qui ne savent pas l'interpréter. Lorsqu'on demande à une personne en colère ce qu'elle ressent, elle commence généralement par dire : « Je pense que... » Il s'agit là d'une réponse intellectuelle qui naît dans notre esprit, et pas dans nos tripes.

Nous devons entrer en contact avec nos émotions « viscérales ». Certains trouvent cela tellement difficile qu'il serait bon pour eux de fermer les yeux et de poser une main sur leur estomac. Ce simple geste les aidera à entrer en contact avec leurs émotions profondes, probablement parce qu'il implique le corps, et pas seulement le cerveau. Établir un lien avec nos émotions est une notion étrangère à notre culture : nous avons oublié que nous ressentons aussi les choses avec notre corps. Nous avons tendance à couper notre mental de nos sensations. Nous sommes tellement habitués à nous laisser gouverner par notre intellect que nous en oublions nos émotions et notre corps. Pensez au nombre de fois où vous commencez une phrase par « Je crois que... » plutôt que par « Je ressens ».

La colère nous signale l'existence de blessures refoulées, qui sont une souffrance actuelle, tandis que la colère est une souffrance chronique. L'addition de telles douleurs entraîne l'accroissement de l'agressivité. On peut accumuler tant de blessures qu'il devient très difficile de retrouver l'origine de sa rage. On prend tellement l'habitude de vivre ainsi que l'on finit par penser que cette situation est naturelle. Avec le temps, on se forge une image de plus en plus négative de soi-même et la colère devient une partie de son être. Nous devons nous efforcer de dissocier nos vieilles émotions de notre identité, exprimer cette colère pour retrouver notre nature profonde, qui est fondamentalement généreuse.

Lorsqu'on éprouve de l'agressivité envers autrui, on finit par l'être contre soi-même, car on a le sentiment de s'être trahi, souvent parce qu'on avait essayé de contenter les autres au détriment de son équilibre émotionnel. Nous sommes exaspérés parce qu'« ils » ne nous donnent pas en retour ce que nous méritons. Mais, en réalité, nous enrageons contre nous-même parce que nous n'avons pas pris soin de nous en priorité. Parfois, nous ne voulons pas reconnaître que nous avons des besoins, parce que, dans notre société, c'est un signe de faiblesse.

La colère « rentrée » engendre souvent des sentiments de dépression ou de culpabilité et déforme notre appréhension de la réalité présente. Les colères non exprimées se transforment en « travail inachevé », non seulement vis-à-vis des autres, mais également de nous-même.

Nous avons tendance à passer d'un extrême à l'autre, en intériorisant notre colère ou au contraire en la laissant « exploser ». Comme nous ne laissons pas notre colère s'exprimer naturellement, il n'est pas étonnant que nous la considérions comme quelque chose de négatif. De la même manière, nous pensons que les gens qui hurlent ont mauvais caractère, mais le fait que nous ne nous comportions pas comme eux ne signifie pas que nous soyons en paix ou que nous soyons épargnés par la colère.

• DK

Berry Berenson Perkins, veuve de l'acteur Anthony Perkins, était l'une des femmes les plus charmantes qu'il m'ait été donné de connaître. Sa personnalité – mélange de grâce, d'élégance et de chaleur humaine – vous mettait instantanément à l'aise. Pourtant, ce masque de douceur cachait une immense souffrance. Heureusement pour elle, elle avait eu le courage d'affronter la colère qui la minait. Elle n'en avait jamais fait état publiquement, mais quand je lui avais dit que j'écrivais un livre où j'abordais ce sujet, elle m'avait confié qu'elle souhaitait communiquer son expérience parce qu'elle pensait qu'elle pourrait aider les autres.

Voici son témoignage :

« Chacun de nous vit différemment son deuil. Ce qui importe, c'est d'en parler et de trouver le moyen d'exprimer ce que l'on ressent. On entend trop souvent dire : "Tout ça, c'est du passé, il faut que tu oublies, maintenant", ou bien, "Libère ta colère", mais ceux qui disent cela ne savent pas de quoi ils parlent. Moi, je l'ai vécu, et je peux vous dire que c'est un processus extraordinairement difficile. Il m'est très souvent arrivé d'être en colère, en particulier quand j'ai dû me débrouiller toute seule pour élever les enfants. Je me rends compte aujourd'hui que j'en ai énormément voulu à Tony de nous avoir quittés. C'était un sentiment sous-jacent. Je voyais bien que j'étais en colère, mais je ne savais pas pourquoi.

J'ai réalisé que je reportais ma fureur sur la vaisselle ou sur moi-même. J'espère un jour m'en libérer complètement, en arrivant à la gérer. J'ai écrit de nombreuses lettres à mon mari et j'ai effectué un gros travail sur moi-même pour sortir toute cette colère et la maîtriser. Il est important d'exprimer les sentiments positifs que l'on éprouve envers l'autre personne, afin de trouver un dérivatif à sa rage et de ne pas être constamment prisonnier de cette émotion. Après sa mort, nous étions anéantis, en proie à la plus grande confusion. Nous avons refoulé nos impressions qui se sont alors transformées en dépression. Je l'aimais tellement et je ne souhaitais pas le rendre responsable de quoi que ce soit, mais il y a des choses que l'on ne peut pas maîtriser.

La colère m'a appris beaucoup de choses. Je me suis aperçue que je l'avais toujours rejetée inconsciemment. La plupart des gens mariés ont de temps à autre des mouvements d'agressivité. Dans notre famille, nous ne nous disputions jamais. Nous nous efforcions d'éviter toute parole blessante et de faire en sorte que l'harmonie règne dans notre foyer. Nous avons esquivé bon nombre de conflits. Mais il est difficile de pardonner si l'on n'a pas assumé sa colère. Plus on la libère plus on est capable d'excuser. »

Une peur non traitée se transforme en colère, laquelle, si elle n'est pas exprimée, se transformera en fureur.

Il est plus facile d'exprimer sa colère que ses craintes, de dire à son conjoint « Je suis très en colère contre toi », que de lui dire « J'ai peur que tu me quittes ». Il est plus facile de s'énerver quand quelque chose ne tourne pas rond que d'admettre son incapacité de maîtriser la situation.

Il y a quelques mois, un jeune homme prénommé Andrew avait rendez-vous avec sa petite amie, Mélanie, dans un café. Mais il y avait eu un malentendu sur le lieu de rendez-vous, et chacun avait attendu l'autre dans un café différent. Andrew a attendu Melanie pendant trente ou quarante minutes, puis est rentré chez lui après avoir laissé un message sur son répondeur : « Je suppose que nous nous sommes mal compris, alors essayons de fixer un autre rendez-vous. » Mais Melanie ne voulut rien entendre. Elle lui en voulait énormément. Elle laissait entendre qu'il lui avait délibérément posé un lapin. Elle disait qu'elle était déçue, que l'on ne pouvait pas avoir confiance en lui. Il a eu beau lui dire qu'il s'agissait d'un malentendu, rien n'y fit.

Ce qui, pour Andrew, était une simple confusion représentait pour Melanie une horrible déception. Cet incident provoqua chez elle une réaction démesurée, sans doute le vestige d'une vieille blessure. Elle était incapable de voir la réalité telle qu'elle était.

Inconsciente de l'angoisse qui sous-tendait sa colère, Melanie attribua à Andrew le rôle du méchant. Malheureusement, en se mettant dans cet état, elle n'avait franchi que la première étape, pour laquelle nous sommes tous très doués : « Je suis en colère parce que tu n'étais pas là ». « Je suis en colère parce que tu es en retard ». « Je suis en colère parce que tu ne travailles pas assez ». « Ce que tu m'as dit m'a mis hors de moi ». Nous devons apprendre à franchir la deuxième étape, à regarder en nous-même pour découvrir la peur sous-jacente. Voici quelques exemples qui vous aideront à comprendre ce processus :

• La colère : je suis en colère parce que tu n'étais pas là.

• La peur sous-jacente : quand tu n'es pas là, j'ai peur que tu m'abandonnes.

• La colère : je suis en colère parce que tu es en retard.

168

• La peur sous-jacente : ton travail passe avant moi

• La colère : je suis en colère parce que tu ne travailles pas assez.

• La peur sous-jacente : j'ai peur que nous manquions d'argent et que nous ne puissions pas payer nos factures.

• La colère : ce que tu m'as dit me met très en colère.

• La peur sous-jacente : j'ai peur que tu ne m'aimes plus.

Il est plus facile d'entretenir sa colère que de se confronter à sa peur, mais cela ne permet pas de résoudre les problèmes sous-jacents. En réalité, cela ne fait qu'aggraver le problème apparent, car la colère est mauvaise conseillère. Le fait de s'en prendre violemment à quelqu'un a peu de chances de le convaincre de ses torts. Personne ne vous dira jamais : « Il m'a crié après pendant une demi-heure, mais au bout de dix minutes j'ai compris qu'il avait raison. »

Une inquiétude justifiée ne doit pas se traduire par une réaction démesurée. Ainsi, par exemple, vous n'arriverez à rien de bon en rappelant constamment à cette collègue qu'elle est trop souvent en retard. Par contre, si vous lui dites : « Il y a un boulot monstre. J'ai peur qu'on n'y arrive pas », votre collègue pourra apaiser votre angoisse sans se sentir dévalorisée.

Il faut beaucoup d'énergie pour contenir sa colère, pourtant nous portons tous en nous de vieilles blessures qui minent notre existence. Daphne Rose Kingma, thérapeute et auteur, animait des groupes de discussion centrés sur la rupture. Voici son récit :

« Je n'oublierai jamais cette femme remarquable et

poignante. Elle avait presque quatre-vingts ans. Je me suis dit : "Qu'est-ce que cette femme est venue faire ici ? Est-elle en train de se séparer de quelqu'un ?" J'ai demandé à chacun de raconter son histoire à tour de rôle, et finalement ce fut son tour et je lui ai demandé :

— Quelle est la raison de votre présence ici ? Êtes-vous en train de rompre ?

— Mon mari m'a quittée il y a quarante ans, depuis tout ce temps, je vis dans la colère et l'amertume. Je l'ai accablé de reproches devant mes enfants, devant tous ceux que je connaissais. Dès ce moment-là, je me suis méfiée de tous les hommes. Par la suite, je ne suis jamais restée plus de trois semaines avec quelqu'un car il y avait toujours un conflit qui surgissait et qui me rappelait cet ignoble bonhomme qu'avait été mon mari. Je n'ai jamais pu surmonter cette histoire. Et aujourd'hui, je souffre d'une maladie incurable. Il ne me reste plus que quelques mois à vivre. Je ne veux pas emporter toute cette agressivité avec moi dans ma tombe. Je suis tellement triste, mais tellement triste d'avoir vécu ces quarante années sans avoir pu aimer à nouveau. Voilà la raison de ma présence ici. Je n'ai pas pu vivre en paix, mais je veux mourir en paix.

Chaque fois que vous douterez de votre courage ou de votre force, chaque fois que vous vous sentirez incapable de surmonter votre colère, pensez à cette femme, car son exemple, si tragique soit-il, constitue une leçon irremplaçable. »

Notre société considère la colère comme une émotion négative et stérile. Dans ces conditions, il est difficile de trouver un moyen de l'exprimer. Nous ne savons pas comment en parler ni comment nous en libérer. Nous l'étouffons, nions sa présence, ou nous la contenons. C'est ce que font la plupart des gens jusqu'à ce qu'elle explose, parce qu'ils n'ont jamais appris à en parler. Ils savent parfaitement jouer le rôle du gentil qui ne se fâche jamais... jusqu'à ce que, n'y tenant plus, ils entrent dans une colère noire et dressent la liste des vingt infamies que l'autre a commises ces derniers mois.

La situation des mourants suscite chez leurs proches et les membres du personnel médical des émotions intenses. Il serait bon que les uns et les autres disposent d'une pièce où ils puissent hurler leur colère. Ne serait-ce pas formidable si nous pouvions tous disposer d'un tel endroit ? Quand on n'a pas la possibilité de se libérer, on dirige inéluctablement sa rage sur quelqu'un, ce qui entraîne toujours les mêmes conséquences, car personne n'aime se trouver en compagnie d'un irascible : le coléreux est souvent une personne seule.

Il est courant de retenir sa colère parce qu'on pense qu'une personne « bien », aimable, réfléchie et sensible ne doit jamais s'emporter. Pourtant, cette réaction peut tout à fait être justifiée. Il est important d'aider les gens à surmonter toute la hargne qu'ils portent en eux, qu'elle soit dirigée contre eux-mêmes, contre autrui, ou même contre Dieu.

Certains, pour exprimer leur exaspération, injurient Dieu, martyrisent un oreiller, ou cognent de toutes leurs forces sur leur lit d'hôpital. Après coup, ils en éprouvent un grand soulagement et découvrent que non seulement ces « blasphèmes » n'ont aucune conséquence fâcheuse, mais que cela les a rapprochés de Dieu. Une femme dit ainsi : « J'ai compris que Dieu était assez grand pour accepter ma colère, et que, de toute façon, celle-ci n'était pas dirigée contre lui. »

Une hôtesse de l'air évoque son père, mort accidentellement alors qu'il nettoyait son fusil. Depuis, elle n'arrivait pas à trouver la paix, à accepter cette mort. Un jour, alors qu'elle pensait à lui, un terrible orage éclata. Elle se précipita dans son jardin et, au milieu du tonnerre et d'une pluie diluvienne, hurla toute sa frustration vers le ciel déchaîné et zébré d'éclairs. Elle dit que cet orage lui a fait découvrir la réalité de sa colère et lui a permis de l'exprimer. Au bout de quelques minutes, elle est tombée à genoux et s'est mise à pleurer. Alors, pour la première fois depuis des années, elle a retrouvé un sentiment de paix intérieure.

• EKR

Après ma dernière attaque cérébrale, j'aurais pu être confrontée à la perspective de ma mort, ou bien à celle de ma guérison. Mais en fait, j'ai dû faire face à la réalité de l'infirmité, car ce malaise avait entraîné une paralysie partielle. Mon état était stable, il ne s'améliorait pas, mais il n'empirait pas non plus. J'étais comme un avion bloqué sur une piste d'envoi : j'aurais souhaité qu'il décolle, ou bien qu'il retourne à l'aire de débarquement. Tout ce que je pouvais faire, c'était rester assise dans un fauteuil. Je suis devenue irascible. J'étais en colère contre tout et contre tous, même contre Dieu. Je l'accablais d'injures, mais il ne m'a pas foudroyée. Au fil des années, d'innombrables personnes m'ont dit à quel point elles avaient apprécié ma théorie des cinq phases psychologiques du deuil, dont celle de la colère. Mais ensuite, la plupart des gens de mon entourage m'ont abandonnée à cause de mon sale caractère. Certains journalistes m'ont même critiquée à cause de cela. Tous ces gens reconnaissaient le bien-fondé de ma théorie, mais ils ne supportaient pas qu'elle puisse me concerner. Heureusement, ceux qui ne m'ont pas délaissée m'ont permis d'être moi-même, sans me juger, ni juger ma colère, et cela m'a aidée à la dissiper.

J'ai toujours dit qu'il fallait laisser les patients exprimer leur colère. Après ma première attaque cérébrale, une infirmière de l'hôpital où j'avais été admise a essayé de redresser mon bras gauche. La douleur fut si vive que j'ai fait le geste de la frapper avec mon bras valide. Résultat : cette infirmière écrivit dans mon dossier que j'étais une « bagarreuse ». Cette réaction est typique du milieu médical qui attribue des comportements hors de proportion aux patients qui ont pourtant des réactions normales.

Nous sommes sur terre pour évoluer et maîtriser nos émotions. Les bébés et les jeunes enfants les vivent intensément, ce qui leur permet de les surmonter. Ils pleurent et l'émotion passe, ils se mettent en colère, et celle-ci disparaît. Les mourants n'acceptent plus les faux-semblants et se comportent souvent comme les jeunes enfants. Ils n'hésitent pas à dire « J'ai peur », ou « Je suis furieux ». Comme eux, nous pouvons apprendre à être honnêtes et à nous exprimer. Nous pouvons apprendre à vivre une existence où la colère n'est qu'une émotion passagère, et non un état permanent.

10

LA LEÇON DU JEU

• DK

Un jour, je suis allé voir à l'hôpital Lorraine, une patiente âgée de soixante-dix-neuf ans. On venait de lui diagnostiquer un lymphome. Avec ses cheveux blancs bien coiffés et ses bracelets, assise sur son lit, elle bavardait avec des membres de sa famille.

Malgré le sombre diagnostic, j'ai eu le sentiment de faire intrusion dans une joyeuse réunion de famille. Je me suis présenté et lui ai proposé de revenir à un autre moment, lorsqu'elle serait moins occupée. « Bien sûr, j'adore les visites », me dit-elle en souriant. En prenant congé, je me suis demandé si elle avait bien pris conscience de la gravité de son état. Mais elle était parfaitement lucide : elle savait qu'elle luttait contre une maladie qui pouvait être mortelle.

Lorsque je suis revenu le lendemain, elle avait mis la radio et dansait seule dans sa chambre avec l'enthousiasme d'une gamine de dix-sept ans. En l'observant, un vieux cliché m'est venu à l'esprit, mais il m'a semblé parfaitement adapté à la situation : amusons-nous, la vie est si courte.

Lorraine se tourna vers moi alors qu'elle oscillait au son de la musique. Je lui ai souri et dit :

— Mais qu'est-ce que vous faites ?

— Je danse le watusi.

— Et pourquoi ?

— Parce que j'en suis capable !

Elle avait raison : nous jouons parce que nous en avons la possibilité. Pourtant, il nous arrive souvent de refouler ce désir. Lorraine, heureusement pour elle, était capable de s'amuser, malgré la grave maladie qui l'affectait.

Les mourants savent parfaitement qu'il est essentiel de se distraire. Il suffit de les observer en compagnie de leurs proches pour comprendre que ces moments de loisirs et d'amusement sont ceux qui importent le plus au terme de l'existence. Ces patients évoquent souvent les bons moments du passé : « Tu te souviens quand nous allions à la plage ? », ou bien, « Tu te souviens quand nous roulions à bicyclette à travers la campagne ? », ou encore « Tu te souviens quand nous emmenions les enfants au parc, le dimanche ? »

On pourrait se demander pourquoi le jeu fait l'objet d'une leçon. La réponse à cette question se trouve dans les regrets formulés par les mourants qui disent souvent, en revoyant le film de leur vie : « Ah, si j'avais pu prendre la vie moins au sérieux ! »

Depuis des années que nous nous occupons de malades en phase terminale, nous n'en avons pas rencontré un seul qui dise qu'il aurait été plus heureux s'il avait travaillé davantage. La plupart d'entre eux considèrent leur réussite professionnelle, sociale ou autre avec fierté, mais ils ont compris que l'existence ne se réduit pas à cet aspect-là. Ils ont le sentiment d'avoir échoué lorsque leur réussite professionnelle ne s'est pas accompagnée de celle de leur vie personnelle. Ils s'aperçoivent souvent qu'ils ont travaillé dur, mais qu'ils n'ont pas vraiment vécu. Comme on dit : « On ne peut pas être sérieux tout le temps. » Une vie trop sérieuse, c'est une vie déséquilibrée.

Nous sommes sur terre pour nous amuser et pour jouer tout au long de notre existence. Pour les enfants, il ne s'agit pas seulement d'un passe-temps, c'est aussi une énergie vitale qui permet de rester jeune d'esprit, d'introduire de la passion dans son travail. En outre, cela favorise l'épanouissement des relations et nous rajeunit. Jouer, c'est vivre pleinement sa vie.

Malheureusement, nous plaçons rarement l'amusement au premier rang de nos préoccupations. S'il est normal d'accorder une place privilégiée à notre vie professionnelle – il faut bien pourvoir à nos besoins et à ceux de notre famille –, il ne faut cependant pas lui donner une importance démesurée. Trop de gens éprouvent le besoin compulsif de réussir à tout prix dans tout ce qu'ils entreprennent. La génération actuelle sait parfaitement comment *faire*, mais elle ne sait pas toujours comment *être*.

Si vous êtes provisoirement obligé de mener plusieurs activités de front pour joindre les deux bouts, pour nourrir vos enfants, alors n'hésitez pas à le faire. Mais si vous travaillez nuit et jour uniquement parce que c'est votre conception de la vie, vous finirez tôt ou tard par vous demander si cette existence vaut vraiment la peine d'être vécue.

Bon nombre de gens travaillent comme des forçats uniquement pour avoir une meilleure position sociale, sans savoir vraiment pourquoi. S'ils sortent le soir, c'est pour étendre le réseau de leurs relations professionnelles, et non simplement pour se détendre entre amis. Durant le week-end, ils s'efforcent de « rattraper le temps perdu ». Et même s'il leur arrive de s'amuser, ils ne peuvent s'empêcher de penser qu'ils perdent leur temps.

Pour réussir, nous avons tendance à délaisser nos proches. Nous pensons ainsi pouvoir leur offrir une vie meilleure. Mais ce qu'ils veulent surtout, c'est passer du temps en notre compagnie.

Oui, la réussite professionnelle est importante, mais les loisirs le sont tout autant. L'envie de s'amuser – de se *détendre*, de se débarrasser du stress et des tensions – est innée Malheureusement, nous avons refoulé ce besoin fondamental.

Beaucoup d'entreprises fêtent les anniversaires de leurs employés, souvent par des gâteaux et des lâchers de ballons. Lorsqu'ils pensent que personne ne les observe, les employés jouent alors avec les ballons, les tirent par leur ficelle, puis les lâchent pour les regarder monter jusqu'au plafond.

Ces travailleurs acharnés sont manifestement en mal de loisir. Et bon nombre de gens sont exactement dans la même situation, comme des enfants sans ballons. Nous ne savons plus nous distraire. Nous avons même oublié ce qu'est un jeu.

L'amusement, c'est faire tout ce qui nous plaît, seulement pour le plaisir. Le jeu transcende toutes les barrières : peu importe le sexe, la religion, la race ou l'âge. On peut même jouer avec des animaux et en tirer un grand plaisir.

C'est aussi une joie intérieure qui s'extériorise. C'est rire, chanter, danser, nager, faire des randonnées, faire la cuisine, courir, jouer, ou accomplir toute autre activité qui nous procure du plaisir.

L'amusement embellit tous les autres aspects de la vie des couleurs de la joie. Il leur donne aussi un sens plus profond. Le travail devient plus enrichissant, nos relations s'améliorent. Le jeu nous rajeunit, nous rend plus positifs. C'est l'une des premières choses que les enfants apprennent à faire. C'est quelque chose de naturel et d'instinctif.

N'est-il pas triste que la plupart des gens s'amusent si peu ? Quand les gens me disent qu'ils ne peuvent se le permettre, je leur réponds qu'une telle chose est inconcevable. Le divertissement favorise l'équilibre et la santé psychique. On travaille mieux si l'on s'est distrait durant son temps libre. La prochaine fois que quelqu'un vous dira qu'il est surmené par son travail, demandez-lui ce qu'il aime vraiment faire. S'il vous dit qu'il est cinéphile, demandez-lui, quand, pour la dernière fois, il est allé voir un film. Il y a de grandes chances pour qu'il vous réponde : « Il y a deux mois environ. » Ne pas faire ce que l'on aime, c'est favoriser le surmenage.

L'amusement a également des effets bénéfiques sur l'organisme. De nombreuses études ont montré que le rire et le jeu réduisent le stress et favorisent la libération dans l'organisme de certaines substances – les endorphines – qui sont chimiquement semblables à la morphine. Ces analgésiques et antidépresseurs naturels expliquent sans doute la raison pour laquelle nous nous sentons mieux après avoir ri et joué : ils font office de stimulants naturels.

Le rire est l'un des meilleurs remèdes qui soient, car plus on rit, et plus on a envie de rire ! L'humour a sa place en toutes circonstances, même lorsqu'on est confronté à un sujet aussi sérieux que la mort.

• EKR

Un séminaire sur la mort et les mourants, destiné aux étudiants en médecine et en psychologie, était également ouvert au public. Le professeur, qui n'aurait jamais pensé qu'un mourant puisse venir assister à ses cours, fut très surpris lorsque le cas se présenta. Soucieux que personne ne s'immisce dans la vie privée de cette femme atteinte d'une maladie incurable, il n'évoqua jamais son état devant les étudiants. Plus tard, il lui confia qu'il avait craint par-dessus tout qu'un étudiant ne fasse une plaisanterie sur la mort ou ne prenne d'une manière ou d'une autre ce sujet à la légère :

— Pour vous, il ne s'agit pas d'un exercice intellectuel, c'est une réalité de tous les jours.

— La plaisanterie et l'amusement font partie de la vie, répondit-elle. Le rire est l'un des moyens que j'utilise pour essayer de tenir le coup. Si vos étudiants avaient fait des plaisanteries, cela ne m'aurait pas du tout dérangée. Ce qui me choque le plus, c'est quand les gens évitent le sujet, quand ils n'osent pas prononcer les mots *mort* ou *cancer*. Je préfère mille fois rire de ce sujet, parce que c'est beaucoup plus amusant que la peur, et beaucoup plus vrai que les faux-semblants.

• DK

Jacob Glass est un auteur et un conférencier spécialiste des questions spirituelles. Un après-midi, je discutais avec ce vieil ami dans son bistrot favori. Il me dit qu'il commençait souvent sa journée dans cet établissement, où il prenait plaisir à lire, à siroter son café et à rencontrer ses amis. Il vit non loin de là dans un modeste appartement qui lui suffit amplement.

Alors que nous parlions de ses conférences et de ses écrits, je l'ai presque supplié de développer ses activités, en lui expliquant comment il pouvait améliorer son emploi du temps.

— Pour quoi faire ? me demanda-t-il.

— Eh bien tu pourrais donner davantage de conférences chaque semaine, réaliser le rêve américain, et partir un jour à la retraite plein aux as !

— Mais je n'aurais plus le temps d'aller au café, de me détendre et de lire...

— Si, bien sûr, tu pourras faire tout ce que tu voudras.

— Mais j'ai déjà tout ce que je veux. J'ai plein de jours libres, j'ai le temps de vivre ma vie, de me promener, de voir des pièces de théâtre, de déjeuner pendant des heures. Pourquoi perdrais-je mon temps à travailler plus dans l'espoir de profiter un jour de la vie, alors que je le fais déjà pleinement ?

Je ne m'étais pas rendu compte que Jacob avait d'ores et déjà la vie que je lui faisais miroiter. Au lieu de passer un bon moment de détente dans ce café, j'étais tombé dans le piège de la « pensée productiviste », en privilégiant le travail par rapport à l'amusement.

Le travail et l'amusement ne doivent pas nécessairement être des activités distinctes. Il est bon également de s'amuser en travaillant. Trouver un plaisir dans les tâches quotidiennes nous aide à mieux vivre notre journée et, par conséquent, notre existence. Malheureusement, il n'est que trop facile de se fixer des tas d'objectifs, puis d'éprouver une grande frustration lorsqu'on n'arrive pas à les atteindre tous.

S'il faut essayer de s'amuser en travaillant, il faut aussi s'efforcer d'oublier le travail pendant ses loisirs. Voici un exemple à ne pas suivre : « Que pensez-vous de cela ? Le samedi, au lieu de m'enfermer dans mon bureau, je prends mon ordinateur portable et je m'installe dans le jardin où je peux poursuivre mon activité pendant quatre à cinq heures tout en restant avec ma femme. Voilà comment j'arrive à associer travail et amusement ! »

L'épouse de cet homme serait probablement d'avis qu'il ne se détend pas beaucoup. Elle doit sans doute se sentir passablement négligée. C'est vrai, son mari est physiquement présent, mais son esprit et son cœur sont-ils avec elle, ou concentrés sur la réunion de lundi au bureau ? Cet homme ne s'amuse pas, il travaille simplement dans un environnement différent.

L'omniprésence du portable joue aujourd'hui un rôle néfaste dans nos loisirs. Les gens ont l'oreille collée à leur téléphone au restaurant, en voiture, dans les magasins, et parfois même au cinéma. On a appris récemment qu'une femme avait passé des coups de fil pendant son accouchement.

Certains parviennent même à transformer des activités de loisirs en travail. Un soir, une femme, après rémission de son cancer, dit à son mari qu'elle était débordée car elle devait préparer le spectacle de fin d'année du lycée local. Au bord de l'épuisement, elle repensa aux promesses qu'elle s'était faites pendant sa maladie :

« Je pensais que l'organisation de ce spectacle d'amateurs serait une aventure très amusante. Mais aujourd'hui, je travaille comme une folle, je dois m'occuper de tout. Je ne pense qu'à mes obligations. Durant ma maladie, quand ma vie était en jeu, je m'étais promis de m'amuser le plus possible si je m'en sortais. Mais là, ce n'est plus du plaisir, c'est du boulot. Si mon cancer revient un jour, je ne pourrais pas dire que j'en ai vraiment profité pendant cette rémission. »

Nous avons oublié à quoi sert le « hobby ». Celui qui fabrique des meubles pour son plaisir peut se dire un jour : « Ça pourrait me rapporter. » Aimer le travail que l'on fait, c'est une très bonne chose. Mais le passe-temps est par définition quelque chose auquel on s'adonne pour se distraire, sans but lucratif. Si vous réalisez des meubles pour les vendre, ce n'est plus un hobby, c'est un travail. Sans vous en rendre compte, vous avez transformé une activité que vous aimez en quelque chose d'indéfinissable qui n'a plus l'amusement pour objet.

On oublie de s'amuser lorsqu'on prend la vie trop au sérieux. Nous devons nous souvenir du temps où nous nous amusions naturellement, avant que l'on nous inculque la notion de productivité. C'était un moment où notre cœur était ouvert et où nous pouvions nous distraire sans nous sentir coupable. Mais l'idée de vivre pour s'amuser est considérée avec suspicion. Dès nos plus jeunes années, on nous dit : « La vie, c'est sérieux. Ne souris donc pas comme ça. Fais quelque chose ! Deviens quelqu'un ! » Nous considérons avec méfiance celui qui passe son temps à faire du surf en nous disant qu'il ferait mieux de construire sa vie.

Évidemment, quelle horrible existence ce doit être : réduire ses besoins au minimum afin de faire tous les jours ce que l'on aime. On pense qu'un surfeur est un demeuré parce qu'il affirme s'amuser en permanence. Or la vraie question est : pourquoi tant de gens s'ennuient-ils en permanence ?

Tout le monde connaît ce proverbe, « L'oisiveté est la mère de tous les vices », et sait que le travail passe avant le plaisir. Obsédés par la réussite sociale, nous ne savons plus comment en profiter. La vie nous semble difficile, nous essayons sans cesse de « progresser » et « d'arranger » les choses, au point que nous ne trouvons plus le temps de nous amuser. Si parfois il nous arrive de nous adonner à quelque loisir, nous en éprouvons aussitôt un sentiment de culpabilité, car fondamentalement, nous les considérons comme une perte de temps. C'est sans doute la raison pour laquelle tant de gens qui ont réussi se cachent pour s'amuser, et c'est aussi pourquoi ce désir si naturel se traduit chez certains par des activités malsaines. Nous avons évoqué plus haut ces employés frustrés qui jouent en cachette avec des ballons. Si l'on réprime trop longtemps ce besoin, il finit par s'exprimer à travers des comportements pathologiques : sexualité débridée, toxicomanie, boulimie ou achats compulsifs. On pense que l'on ne mérite pas de s'amuser ou d'être heureux, alors on sabote son existence. Il faut réapprendre les « mauvais comportements » – en d'autres termes, réapprendre à s'amuser.

Lequel d'entre nous n'a pas entendu cette phrase durant son enfance : « Qu'est-ce que tu as fait aujourd'hui ? » En réponse, nous devions dresser la liste de toutes nos activités pour prouver que nous n'avions pas perdu notre temps. Aujourd'hui encore, nous préférons de loin énumérer les tâches accomplies plutôt que d'avouer que nous avons fait quelque chose uniquement pour le plaisir. Ronnie Kaye, qui a survécu à deux cancers du sein, raconte

dans ses conférences comment elle a dû se forcer pour
« admettre » qu'elle aimait parfois passer des heures « à
ne rien faire ». « J'ai dû apprendre à dire sans honte que
j'avais écouté la *Sixième Symphonie* de Beethoven pendant
tout un après-midi, uniquement parce que cela me procu-
rait une joie immense. J'ai des amis qui comprennent l'importance du plaisir et qui me félicitent quand je leur
raconte une anecdote semblable. Il fut un temps où
j'éprouvais de la gêne lorsque je n'avais pas mille choses
à faire en même temps. Aujourd'hui, je réalise à quel point
la musique est importante pour moi. »

Quel que soit votre âge ou votre position sociale, vous
pourrez toujours retrouver le sens du plaisir, parce qu'il
est inné.

Les enfants savent parfaitement s'amuser. À l'école,
les cours sont toujours entrecoupés de récréations, parce
qu'on sait depuis longtemps que le travail scolaire doit
impérativement être équilibré par des moments de détente.
Il en est de même pour les adultes. Pourquoi n'aurions-
nous pas, nous aussi, nos cours de récréation ?

Apprenez, pour commencer, à profiter de votre temps
libre. Si vous avez un tempérament de « premier de la
classe », il vous faudra sans doute programmer soigneusement
ce temps et même parfois vous « forcer » à vous divertir.
Il y a toujours des tâches en retard, mais ce n'est pas une
raison pour ne pas s'amuser. Si vous ne vous accordez pas
un peu de distraction, vous finirez par ne plus rien avoir à
donner aux autres, et par ressentir amèrement tout ce temps
consacré à votre patron. Vous pourriez même en vouloir à
votre famille pour les mêmes raisons. Amusez-vous maintenant, ou bien vous le paierez très cher plus tard.

Sachez que l'amusement est beaucoup plus qu'un
moment de détente passager. C'est du temps réellement
consacré au plaisir. Il faut s'échapper de son emploi, du

sérieux de la vie. Il y a mille et une manières de retrouver le sens du divertissement. Au lieu de vous jeter sur les cours de la Bourse le matin au réveil, lisez la page des bandes dessinées. Regardez un film idiot, achetez une tenue rigolote, ou une cravate bariolée. Si vous êtes du genre conventionnel au bureau ou dans la vie, portez des sous-vêtements fantaisie. Ne refusez plus les invitations, soyez spontané. Faites des bêtises !

On peut s'amuser de tout, mais faites attention : toute activité de loisir peut facilement devenir « productive ». Si vous vous promenez parce que vous aimez vraiment cela, c'est de l'amusement. Mais si vous marchez tous les jours parce que cela fait partie du programme d'exercices quotidien que vous vous êtes imposé, ce n'est plus du tout une distraction.

Le sport et le jeu sont de merveilleux délassements. Quelle que soit leur nature – football, bridge, etc. – ils font renaître l'enfant qui est en nous et nous aident à construire notre identité, à évacuer le stress et à nouer des contacts avec les autres.

Beaucoup de gens aiment inviter des amis pour une partie de Monopoly, de Trivial Pursuit ou de Scrabble. Certains sont très surpris de constater qu'ils éprouvent un immense plaisir à jouer et en gardent un souvenir merveilleux. L'esprit de compétition est souvent un élément essentiel. Il peut être un merveilleux élément de motivation. Ce n'est que lorsque l'on prend ce sport ou ce jeu trop au sérieux que l'on perd la capacité de s'amuser. Avez-vous déjà fait une partie d'échecs avec un fanatique de ce jeu ? Ce n'est pas drôle du tout. Il en est de même pour la vie lorsque nous la prenons trop au sérieux.

● DK

Un jour, ma filleule, alors âgée de quatre ans, m'a donné une merveilleuse leçon. Ce jour-là, la petite Emma jouait à un jeu appelé *Candyland* avec son amie Jenny. À un moment donné, Jenny fut sur le point de gagner. Emma se leva d'un bond, en proie à une vive excitation, et s'écria : « Oh, Jenny, j'espère que tu vas gagner ! »

Emma ne comprenait pas le concept de compétition. Pour elle, l'amusement était entièrement dans l'expérience du jeu. Elle n'avait pas encore réalisé qu'il fallait qu'elle perde pour que son amie gagne. Jouer suffisait amplement à son bonheur. Nous pourrions tous tirer un grand enseignement de son innocence.

Les festivités sont bien sûr une bonne occasion de s'amuser. Profitez-en sans retenue. Les événements pénibles nous prennent déjà trop de temps. Essayons d'en consacrer autant, sinon plus, aux événements joyeux. Fêtez l'arrivée d'un ami. Jouissez pleinement d'un bon repas. Amusez-vous dès le début du week-end, célébrez la vie ! Faites-vous beau ou belle sans raison aucune, sortez votre belle vaisselle de porcelaine pour vous-même et votre famille. On n'hésite pas à préparer un délicieux repas pour des inconnus alors qu'on se contente souvent pour soi d'une boîte de thon et d'un peu de pain. Les enterrements constituent à cet égard un exemple particulièrement intéressant. C'est l'occasion de se mettre sur son trente et un, et de se réunir au domicile de la famille en deuil. On a sorti la vaisselle de porcelaine qu'on n'utilise pratiquement jamais, et tout le monde s'empiffre. Le défunt était-il aussi bien traité de son vivant ?

Enfin, il faut trouver le temps de s'occuper de soi-même. S'il est indispensable de passer des instants agréables avec ses proches, on a également besoin de passer de bons moments seul, d'avoir du temps uniquement pour soi. Il ne s'agit pas des périodes où l'on est seul du fait des circonstances (famille en vacances, etc.), mais du temps que l'on consacre à sa propre personne, à son propre bonheur. En ces occasions, vous êtes libre de choisir comme bon vous semble le film de votre soirée, les plats de votre repas ou vos sorties. Bref, ce sont quelques heures où vous ne faites que ce que vous voulez, quand vous le voulez et comme vous le souhaitez.

• EKR

Joe, un homme d'affaires accompli, me parle de l'évolution de sa tumeur :

« J'avais une grosse tumeur au cou. Elle se développait rapidement. Je suis allé voir un cancérologue et il a immédiatement décidé de procéder à son ablation. Puis, j'ai commencé la chimiothérapie. J'étais un travailleur acharné, je suis devenu un malade acharné : examens médicaux, achats des médicaments, visites aux médecins, je n'aurais jamais cru qu'une maladie nécessiterait autant de démarches. Lors d'une de mes dernières séances de chimiothérapie, j'ai pensé à mon job, à mon engagement extrême dans mes affaires. Avec mon cancer, c'est ma vie que j'ai remise en question. C'était uniquement un problème de survie et, Dieu merci, je m'en suis sorti.

188

Alors, je me suis demandé : "Je m'en suis tiré, mais pour quoi faire ? Encore plus d'affaires ? Encore plus d'efficacité ?"

J'ai réalisé à quel point mon existence était triste et vide. Je n'étais entouré que de bourreaux de travail. À dire vrai, je n'étais qu'une brique parmi d'autres dans un mur. J'ai alors pris la décision de ne pas continuer comme cela, de reconstruire ma vie, de voir mes amis, de m'amuser à nouveau, de me promener dans un parc, d'aller à des concerts, de regarder les gens dans la rue, de parler de temps en temps avec des inconnus au lieu d'éconduire tout le monde. J'étais passé à côté de tellement de choses dans la vie : il était temps d'en profiter. »

Enfants, nous avions l'impression que tout était magique. Si nous pouvions retrouver ne serait-ce qu'une parcelle de cet univers et nous amuser un peu plus, nous redécouvririons un peu de notre innocence perdue. On ne peut rien contre le vieillissement du corps, mais, en s'amusant, on peut rester jeune de cœur

11

LA LEÇON DE LA PATIENCE

Le père de Jessica était de ceux que l'on rêve d'avoir – drôle, aventurier et un peu malicieux. Mais il était aussi imprévisible, car il lui arrivait de disparaître pendant des semaines et même des mois.

Âgée de quatorze ans à l'époque où ses parents se sont définitivement séparés, Jessica demeura proche de lui. Sa mère lui expliquait les absences de son père sans le charger de tous les péchés : « Il est comme ça, c'est tout. Ça n'a rien à voir avec toi. »

Jessica savait à l'avance quand son père allait partir car il avait pris l'habitude de lui offrir un cadeau avant. Et chaque fois qu'elle s'apprêtait à l'ouvrir, il l'en empêchait en lui disant : « Patience, Jessica, c'est un cadeau pour plus tard. » Ensuite, après quelques jours ou quelques semaines, lorsque son père commençait vraiment à lui manquer, sa mère lui disait qu'elle pouvait ouvrir sa surprise.

À l'âge adulte, l'amour que Jessica éprouvait pour lui ne fit que croître. Ni son travail d'assistante sociale, ni son mari et ses deux enfants ne l'empêchèrent de rester très proche de son père, alors âgé de plus de soixante-dix ans. Chaque fois qu'il envisageait de s'en aller, il l'appelait pour le lui annoncer et lui dire qu'ils se verraient à son retour.

Mais un jour, il est parti et n'est pas revenu. Après quelques mois d'absence, Jessica fut très inquiète. Elle eut le sentiment que c'était différent cette fois-ci. Lorsque des amis de son père lui dirent qu'ils n'avaient plus de nouvelles de lui depuis longtemps, elle fit émettre un avis de recherche.

Quatre ans plus tard, le téléphone sonna. Il avait été retrouvé dans une maison de repos de Las Vegas. On avait découvert son nom sur une liste de personnes disparues lors de son admission dans un hôpital pour une sévère infection. Chose étrange, il avait affirmé à plusieurs reprises qu'il n'avait pas de famille. Jessica était déconcertée. Mais lorsqu'elle arriva à Las Vegas, le mystère s'éclaircit : son père, atteint par la maladie d'Alzheimer, ne la reconnaissait plus.

Si Jessica fut soulagée de l'avoir retrouvé, le voir dans un tel état lui brisa le cœur. Après sa guérison, elle prit des dispositions pour qu'il soit transféré dans un centre de soins proche de son domicile. Elle espérait secrètement que son état s'améliorerait et qu'il pourrait se souvenir :

« Je me disais qu'il faisait ce qu'il avait toujours fait – éprouver ma patience. Je croyais l'avoir rattrapé, mais il s'agissait d'un autre homme. J'ai toujours cru qu'avec le temps et des soins acharnés, il retrouverait la mémoire. Jour après jour, semaine après semaine, j'allais le voir. J'étais tellement triste. Il était là, mais je ne le reconnaissais pas et il ne me reconnaissait pas non plus. La seule chose qui me reliait encore à lui était la patience dont je devais faire preuve pour m'occuper de lui. Je voulais croire que mon père se trouvait là, quelque part. Dans mon métier d'assistante sociale, je dois sans cesse essayer de résoudre les problèmes des autres, mais là, je n'arrivais pas à trouver une solution aux miens. La seule chose que je pouvais faire, c'était de faire preuve de patience. »

L'état de son père continua de se détériorer lentement. Il attrapa une pneumonie et mourut peu après.

Un an plus tard, alors qu'elle préparait un « vide-grenier », Jessica tomba sur son vieux répondeur téléphonique. Sa voix se met à trembler lorsqu'elle évoque ce souvenir :

« J'ai voulu voir si l'appareil marchait encore avant de le mettre en vente. Je l'ai branché et ai appuyé sur le bouton "messages". Je fus abasourdie, car c'était le dernier message de mon père. Je l'avais écouté la dernière fois qu'il s'était évanoui dans la nature, mais jamais depuis lors. Il disait ceci : "Jessica, ma chérie, je voulais juste te faire savoir que je suis parti. J'espère que tu penseras à moi pendant mon absence. Je pense à toi tous les jours, même si nous avons rarement l'occasion de nous parler. Je sais que tu t'inquiètes pour moi, mais je veux que tu saches que je suis bien là où je suis. Je t'aime profondément et j'ai hâte de te revoir." »

Elle essuya ses larmes, puis dit : « Il a toujours été comme ça, il voulait m'apprendre la patience. Une dernière fois, il m'a laissé un cadeau pour plus tard. » Dans la vie, certaines circonstances – une maladie d'Alzheimer, par exemple – nous font progresser sur les voies essentielles de la patience et de la compréhension de l'autre. Parfois, ces vérités concernent plus les proches que le malade lui-même.

● EKR

La patience est une leçon particulièrement difficile, peut-être la plus frustrante, surtout en ce qui me concerne. J'ai toujours été extrêmement occupée, sans cesse en mouvement, parcourant des milliers de kilomètres chaque année pour visiter des malades et donner des conférences, sans parler du temps consacré à mes livres et à l'éducation de mes enfants.

Ma paralysie m'oblige à me déplacer en fauteuil roulant avec l'aide de quelqu'un, et il m'a bien fallu apprendre la leçon de la patience. C'est très dur pour moi, mais j'ai compris que lorsqu'on est malade, on n'a pas d'autre choix.

Quand je me sens assez bien, je sors avec une amie. Mais j'ai envie de me promener, d'aller plus vite que me le permet ma chaise roulante. Parfois, nous allons dans un magasin, et quand quelqu'un s'approche, j'ai l'impression de lui bloquer le passage. Un jour, alors que j'étais allée acheter des vêtements d'hiver, mon amie m'a laissée dans un coin du magasin pour aller fureter dans un autre rayon. J'ai dû patienter le temps qu'elle revienne.

Aujourd'hui, il m'arrive souvent d'être obligée de faire ce que je déteste le plus : attendre. Lorsqu'on est malade ou handicapé, on doit prendre son mal en patience dans toutes les circonstances de la vie. Je suppose qu'il en sera ainsi tant que je n'aurai pas appris à fond cette leçon.

Apprendre à être patient, c'est aussi comprendre que l'on ne peut pas toujours obtenir ce que l'on veut. Vous ne réaliserez jamais tous vos désirs, mais sachez que vous obtiendrez toujours ce dont vous avez besoin, même si cela ne correspond pas à l'idée que vous vous en faisiez.

De nos jours, les gens veulent des solutions immédiates à tous leurs problèmes ! Il existe des services de dépannage jour et nuit et des commerces ouverts vingt-quatre heures sur vingt-quatre. Si on a faim, on peut toujours trouver quelque chose à manger, depuis les plats à réchauffer au four à micro-ondes jusqu'aux drugstores et autres restaurants ouverts toute la nuit. Quant à Internet, qui sait dans quelle mesure cette nouvelle technologie ne va pas exacerber notre impatience ? Après tout, il n'est même plus nécessaire d'aller dans une librairie pour commander un livre, ni d'aller visiter des appartements pour choisir son nouveau domicile : tout est disponible instantanément.

Les gens ne savent plus attendre, ni même ce que ça veut dire. C'est vrai qu'il est agréable d'obtenir ce qu'on veut immédiatement, mais le fait d'être capable de patienter est important. Des études ont montré que, lorsqu'on donnait à des enfants la possibilité de choisir entre manger un biscuit immédiatement ou en avoir deux une heure plus tard, ceux qui étaient capables d'attendre réussissaient beaucoup mieux dans la vie. La patience est manifestement un atout important, pourtant nombreux sont ceux qui perdent leur calme devant leur four à micro-ondes, ou qui s'énervent si le développement de leur pellicule prend plus d'une heure.

Le problème va bien au-delà de la gêne provoquée par l'attente. Rares sont ceux qui sont capables de se contenter de ce qu'ils ont, ou d'accepter leur existence telle qu'elle est. Les gens ont constamment envie d'améliorer leurs conditions de vie, persuadés que bonheur rime avec transformation. On fait généralement une différence entre ce qui n'arrive pas assez vite et ce qui ne se déroule pas selon ses désirs. Pourtant ces deux idées ont la même origine : elles sont fondées sur le sentiment que la situation est mauvaise telle qu'elle est. À quoi cela sert-il donc d'être impatient ?

La clé de la patience réside dans la prise de conscience que tout est comme il devrait être, que chaque événement fait partie d'un plan d'ensemble. Il est facile d'oublier cette réalité, et c'est pourquoi tant de gens s'efforcent d'infléchir le cours des choses qui, autrement, auraient eu des conséquences positives. Au terme de leur vie, certains acceptent la mort avec détachement, tandis que d'autres s'impatientent et veulent absolument connaître la date de leur dernier jour. Il suffit de leur dire qu'ils ne mourront que lorsqu'ils seront prêts pour qu'ils soient rassurés.

De même, vous ne vivrez une expérience donnée que lorsque vous y serez prêt, quand vous aurez compris que les choses se déroulent comme c'était prévu.

Sur le plan philosophique, la patience est comme un muscle que l'on doit exercer régulièrement. Si on n'utilise pas quotidiennement ce « muscle » – par exemple en cuisinant soi-même au lieu d'utiliser le four à micro-ondes – il sera atrophié pour affronter les grandes difficultés de la vie. C'est pourquoi il est si important de comprendre que la « guérison » est un processus continu. Comme l'esprit cherche constamment à changer le cours des choses, on a besoin d'être certain que la vie se déroule comme elle le devrait. La réalité est que l'on peut l'accepter telle qu'elle est, en sachant qu'une patience profonde apportera paix et guérison.

Selma Shimmel, une animatrice de talk-show qui a

survécu à un cancer, cite dans son livre, *Cancer Talk*, un mot de son père : « Nous croyons que c'est notre réveil qui nous tire de notre sommeil chaque matin, mais, en réalité, c'est Dieu qui décide de le faire. » Nous croyons nécessaire de régler notre réveil, de vérifier à deux reprises son bon fonctionnement. Nous avons oublié qu'il existe un plan d'ensemble, bien plus vaste. C'est Dieu qui décide de nous réveiller ou non encore une fois. C'est cela, le plan d'ensemble qui nous échappe, ce muscle que nous n'utilisons pas. Bien sûr, réglez votre réveil, mais gardez à l'esprit que la réalité est bien plus complexe que vous ne le pensez.

• EKR

Renée attendait les résultats d'une biopsie. Cette attente lui était insupportable. Elle me confia son tourment :

— Pourquoi est-ce si long ? Pourquoi ne peuvent-ils pas accélérer les choses ? Et si ça prenait dix jours ? Et si mon médecin oubliait de me rappeler ?

— Qu'on le veuille ou non, lui ai-je répondu, il faut attendre deux jours. Au lieu de passer votre temps à lutter vainement contre cette réalité, demandez-vous si vous n'avez pas quelque chose de plus important à faire d'ici là. Vous pourriez ainsi découvrir beaucoup de choses sur la vie. Si les résultats n'arrivent pas en temps voulu, vous pourrez toujours rappeler le médecin pour lui faire part de votre inquiétude.

Être patient, ce n'est pas être victime, ce n'est pas être impuissant, ce n'est pas accepter passivement d'être maltraité ou de souffrir terriblement. On peut l'être en pleine possession de ses moyens.

La réponse – rassurante – arriva en temps voulu. « J'ai appris quelque chose sur mon pouvoir, dira Renée plus tard. J'ai appris à vivre avec mes émotions, à écouter les messages que l'on m'envoyait, à avoir confiance dans l'univers et en moi-même. J'ai compris que, jusqu'ici, je ne me croyais pas capable de trouver et d'utiliser ma force. J'ai découvert aussi ce que je devais "réparer" en moi, et ce que je pouvais accepter. Ce fut vraiment une grande leçon. »

Renée fut en mesure d'accepter la réalité de cette attente qui la rendit plus forte et lui permit de découvrir de nombreux aspects inconnus de son être.

Le plus important, c'est de trouver son propre pouvoir. Si l'on est agressé, il faut réagir et dire : « Non, là ça ne va plus. » Mais quand c'est la vie qui dicte le scénario, il faut trouver le moyen d'accepter paisiblement la situation telle qu'elle est.

La vie est une série d'expériences auxquelles nul n'échappe. Chacune a sa raison d'être – même si nous n'en avons pas conscience – et délivre un enseignement nécessaire à notre évolution. Mais l'impatience rend difficile l'assimilation de ces leçons. Il faut seulement vivre l'expérience, et non la rejeter, se plaindre ou s'efforcer de la modifier.

Chaque expérimentation vécue nous rapproche du bien-être et de la guérison. Ce qu'il y a de merveilleux, c'est qu'il n'y a rien de particulier à faire pour cela. Il suffit de vivre la vie telle quelle se déroule.

Gary, un camionneur, a découvert le pouvoir de la patience. Toujours sur la brèche, il a bu pendant des années pour noyer son mal-être. À l'âge de quarante ans, il fut soudain menacé de cécité : « J'ai des stores à la maison. Tout d'un coup, j'ai cru les voir onduler. Puis, des points lumineux ont affecté ma vision. Au début, j'ai cru que j'étais simplement fatigué. »

À l'hôpital, on lui injecta un nouveau médicament directement dans l'œil. Cela permit de stopper l'attaque du virus, mais sa vue avait d'ores et déjà diminué de 65 %. Une surinfection lui valut de perdre presque complètement son œil gauche. Deux opérations permirent de le sauver, mais sa vision était à présent fortement altérée, sans aucun espoir d'amélioration. Voici son témoignage :

« On m'avait dit dès le départ que je devrais vivre pour toujours avec ce handicap. J'avais dû aller à New York pour suivre ce traitement, et il m'avait bien fallu trouver un lieu d'hébergement. Le seul qui était dans mes moyens se trouvait dans un monastère. Il était complet, mais ils ont quand même fini par me dégoter une chambre. Là-bas, j'ai beaucoup prié pour apprendre à être patient. J'ai commencé à comprendre que je ne pouvais rien changer à ma situation. J'avais tout essayé. Je ne pouvais rien faire d'autre pour ma vue. Dans la vie, on doit faire le deuil de beaucoup de choses, et moi, je devais faire celui de mes yeux. J'ai vu tellement de gens se complaire dans leurs blessures anciennes. J'ai fait mon deuil, mais je ne voulais pas passer le reste de mon existence à pleurer. Peut-être était-ce l'épreuve dont j'avais besoin. Le fait de perdre en partie la vue m'a permis de ralentir mon rythme et de me recentrer.

Le cours de ma vie a alors changé. Auparavant, je

n'aurais rien fait, sinon noyer mes angoisses dans l'alcool. J'ai dû alors apprendre à résoudre une foule de problèmes pour survivre. Comme personne ne s'occupait de moi, il fallait bien que je le fasse moi-même. Je devais apprendre à rêver, à me fixer des buts. Cela m'a obligé à m'impliquer davantage dans mon existence, et à l'apprécier beaucoup plus. J'adorais jouer au billard, mais je me suis dit que ce n'était plus pour moi. Toutefois, avec un peu de pratique, j'ai retrouvé ma capacité de jouer. À Los Angeles, où je vis, les gens sont très impatients. Ils n'ont jamais le temps, ils sont toujours pressés, pressés. J'étais comme eux, mais maintenant, j'ai compris que le temps est là pour que nous en profitions. Et il y a tant de choses dont on peut jouir dans la vie.

D'une certaine manière, je vois mieux aujourd'hui qu'avant ma maladie. Je "vois" plus en profondeur. Il le faut, d'ailleurs. Je cherche ce qu'il y a de drôle et de bon dans chaque chose. La plupart des gens sont incapables de voir les bons côtés de la vie, ou ses aspects cocasses, car ils n'ont pas la patience de regarder. »

Pour apprendre la patience, la première étape consiste à cesser de vouloir changer le cours des choses, à prendre conscience que tout a une raison d'être, même si c'est parfois difficile à croire.

Face à une situation contre laquelle vous ne pouvez rien, essayez d'en percevoir le sens profond. Tâchez d'avoir un peu confiance dans le déroulement des événements. Nous croyons que les choses ne peuvent pas se faire sans notre intervention, mais la plupart surviennent sans elle. Il n'est pas nécessaire d'ordonner aux cellules de se diviser, ni à une blessure de se cicatriser. Il existe un pouvoir invisible dans ce monde. Sachez que tous les phénomènes empruntent la voie du bien, même si nous ne nous en rendons pas compte. C'est ça, la foi. Être patient, c'est avoir la foi, qui nous permet de comprendre qu'aucune expérience n'est inutile. Au terme de leur existence, la plupart des gens ne regrettent pas leurs mauvaises expériences, car ils ont tiré un enseignement de chacune d'elles. Tous les événements de votre vie, bons ou mauvais, se produisent pour que l'être parfait que vous êtes puisse naître au monde. Si vous avez le sentiment que les choses vont trop lentement ou trop vite, sachez que votre notion du temps n'est peut-être pas la plus appropriée, et qu'il y a un plan d'ensemble. Détendez-vous et laissez le cours de la vie se dérouler.

Vous avez le temps, les moyens et le courage de patienter, même s'il n'y a parfois rien à attendre, parce que la situation vécue est exactement ce qu'elle devait être. Ce n'est pas un hasard si on utilise le même mot, *patient*, pour désigner une personne qui fait l'objet d'un traitement médical, et pour qualifier celui qui supporte calmement des épreuves. Ce mot vient du latin *pati*, qui signifie « souffrir, supporter ».

On pourrait penser que ce qui importe, c'est la santé, le travail ou la vie affective. Pourtant, essentiellement, la seule chose qui compte, c'est vous, c'est l'amour, la compassion, le sens de l'humour et la patience avec lesquels vous abordez les événements de votre vie.

Sachez enfin que Dieu et l'univers ne s'occupent pas en priorité des circonstances de la vie : ils s'occupent avant tout de vous. Le plan d'ensemble de l'univers est beaucoup plus vaste que la question de votre avenir professionnel. C'est pourquoi l'univers ne peut s'intéresser à cet aspect particulier de votre vie, pas plus qu'au fait que vous soyez marié ou non. Il s'intéresse davantage à votre rapport à l'amour qu'aux détails de votre vie sentimentale, à votre expérience de la vie – quelles qu'en soient les circonstances – qu'à votre état de santé. L'univers est concerné par ce que vous êtes et il introduira dans votre existence, dans n'importe quelle situation, à n'importe quel moment, ce dont vous avez besoin pour devenir vraiment vous-même. La clé de votre équilibre réside dans la confiance et la patience.

12

LA LEÇON DU LÂCHER-PRISE

• EKR

Je me souviens très bien d'un jeune garçon en phase terminale dont je m'occupais. Vers la fin de sa vie, il fit un dessin qui le représentait sous l'aspect d'une silhouette minuscule sur le point d'être touché par un boulet de canon. Cela indiquait qu'il considérait son mal comme une force destructrice. Il savait qu'il allait mourir, mais il n'avait manifestement pas atteint la sérénité.

Nous avons donc travaillé ensemble et, peu de temps après, il accepta la réalité de sa maladie. J'ai compris que notre tâche était achevée quand il se représenta sur les ailes d'un oiseau volant vers le paradis. À présent, il avait le sentiment qu'une force pleine d'amour allait l'emmener et qu'il ne lui résisterait pas. Grâce à cette prise de conscience, le peu de temps qu'il lui restait à vivre fut agréable et chargé de sens.

À tout moment, chacun de nous peut trouver une merveilleuse paix intérieure grâce à sa capacité à lâcher prise. Malheureusement, trop de gens ont peur de s'abandonner parce que c'est pour eux un signe de faiblesse. Pourtant, il n'y a là ni abattement ni souffrance. Au contraire, en reconnaissant que tout va dans le sens du mieux, on se sent réconforté et renforcé.

Bien sûr, il faut pour cela une foi énorme alors que l'on souffre d'une maladie ou d'un deuil. Il est déjà difficile de lâcher prise lorsqu'on est confronté aux petits ennuis de la vie quotidienne. Nous voulons à tout prix maîtriser chaque situation, influer sur le cours des événements. Nous assimilons l'activité à la force, la passivité à la faiblesse. Tant que l'on croit que la vie est un fardeau, on ne peut comprendre le rôle bénéfique de l'abandon. Nous ne sommes pas venus ici-bas pour nous cogner la tête contre les murs. Si nous luttons en permanence, c'est peut-être parce que l'univers essaie de nous communiquer quelque chose. Nous pouvons lâcher prise. Rien ne nous oblige à nous débattre constamment dans nos problèmes professionnels ou relationnels. Nous pouvons tout simplement nous détendre, en sachant que l'existence suit son cours comme prévu.

Imaginez que la vie se déroule comme des montagnes russes. Vous êtes installé dans le véhicule, vous ne le conduisez pas. Pouvez-vous imaginer à quel point il serait frustrant d'essayer de dévier ce véhicule de sa course ? Non seulement ce serait impossible, mais vous ne connaîtriez pas le plaisir de vous laisser emporter dans la suite de pentes et de contre-pentes.

Il faut lâcher prise quand on est épuisé, quand on n'a plus la force de maîtriser une situation. Il faut abandonner afin de se libérer de ce désir illusoire et mortel de contrôler les événements, et afin de mettre un terme à cette lutte incessante aux effets si destructeurs. Ce combat nous éloigne de l'instant présent, nous empêche de vivre des relations heureuses, détruit notre créativité et mine notre aptitude au bonheur. La lutte engendre la peur, laquelle nous pousse à vouloir contrôler à tout moment chaque aspect de notre vie. C'est une voie sans issue : il est temps de renoncer à tout contrôle, de se laisser porter par sa monture là où elle va, de nager avec le courant, et non contre lui.

Dale, un homme d'un certain âge, fut victime d'une maladie cardiaque. Voici son témoignage :

« Si j'ai survécu jusqu'ici, c'est parce que je suis capable de lâcher prise. J'ai compris depuis longtemps que le refus de renoncer ne fait qu'empirer les choses. Au début, je croyais qu'il y avait là une contradiction. Comment pouvais-je me laisser aller, me détendre et prendre la vie du bon côté en sachant que je souffrais d'une grave maladie cardiaque et que je pouvais mourir à tout moment ? Comment se détendre dans une telle situation ? Et qu'est-ce que cela m'apporterait ? Et puis, un jour, j'ai senti mon père à mon côté. Il était mort depuis longtemps, mais, de temps à autre, je ressens sa présence dans mon cœur et dans mon âme.

Mon père était un type bien. Il a succombé à un cancer. Il avait déjà frôlé la mort des années auparavant à cause de son problème d'alcoolisme. Il avait perdu plusieurs emplois à cause de cela et ma mère avait énormément souffert de cette situation. Il aurait fallu l'aider pour qu'il sorte de sa dépendance, mais quand quelqu'un se meurt à cause de l'alcool, on ne voit souvent que ce problème et on oublie qu'il est en train de disparaître. Mon père ne pouvait guérir qu'en lâchant prise et en s'en remettant à une puissance supérieure. Il prit ainsi conscience de son alcoolisme et put s'engager sur le chemin de la guérison.

C'est ainsi qu'il rejoignit les Alcooliques Anonymes et changea de vie. Il s'est mis à étudier et a obtenu un diplôme à l'université d'UCLA. Désireux d'aider son prochain, il devint visiteur de prison, afin de partager son expérience, surtout concernant le lâcher-prise. Lorsqu'il est mort, des centaines de personnes sont venues à son enterrement. Tout le monde l'adorait, tous ceux qu'il avait aidés grâce à son expérience qui n'a rien à voir avec le renoncement. J'étais très fier de lui. J'ai compris que ce qu'il avait appris était également valable pour moi. Il m'a fallu accepter de vivre avec ma maladie cardiovasculaire. J'ai dû vaincre mon attitude de refus et cesser de lutter contre l'inéluctable. En lâchant prise, j'ai pu trouver la paix et une nouvelle qualité de vie. »

La plupart des gens croient de manière illusoire que le contrôle est indispensable, qu'il serait dangereux de laisser l'univers s'occuper de la bonne marche des choses. Mais celui que nous exerçons est-il réellement nécessaire au bon fonctionnement du monde ? L'univers n'a pas besoin de nous pour faire se lever le soleil, ni pour faire avancer les vagues. Il est inutile de dire à nos enfants de grandir, aux fleurs de s'épanouir, ou aux planètes de maintenir la distance qui les sépare. L'univers gouverne très bien la terre, cette planète extraordinairement complexe, avec ses fleurs, ses arbres, ses animaux, ses vents, son soleil et tout le reste. Pourtant, nous avons peur de nous *abandonner* à lui. Il est parfois difficile de voir le bon côté des choses dans une situation très pénible. Essayez de considérer cette épreuve comme une manifestation de ce qui est, et non comme un phénomène négatif. Aucun d'entre nous ne sait vraiment pourquoi tel ou tel événement survient. Le pro-

blème, c'est que nous pensons que nous devrions le savoir.
Mais la vie est un mystère et elle requiert l'humilité.
Chaque chose sera révélée en temps voulu.

Comment lâcher prise ? Comment cesser de combattre ?
Il suffit simplement, comme dans le jeu de tir à la corde,
de laisser aller. On se libère de ses schémas de comportement. On apprend à avoir confiance en Dieu, en l'univers,
en acceptant de se détendre, peut-être pour la première fois
de sa vie.

Nous nous libérons du schéma mental qui nous
pousse à vouloir contrôler le cours des choses, et nous
acceptons ce que l'univers nous apporte. Les mourants
prennent conscience de cela lorsqu'ils revoient le film de
leur vie. Ils s'aperçoivent que les circonstances pénibles
de leur existence ont souvent eu des effets bénéfiques, et
que ce à quoi ils aspiraient n'était pas nécessairement ce
qui leur convenait le mieux. Ainsi, par exemple, des traitements expérimentaux peuvent se révéler de merveilleux
moyens de guérison. Ils peuvent aussi échouer et causer
plus de tort que de bien. De nombreux patients se sont
battus pour obtenir de tels soins, persuadés d'avoir trouvé
le remède miracle. Parfois ils avaient raison, parfois non.
La vérité, c'est que nous ne savons pas toujours où est
notre intérêt. C'est pourquoi il faut renoncer à vouloir
savoir à tout prix ce que le destin nous réserve, cesser de
se croire infaillible et de vouloir contrôler l'incontrôlable.
Nous ne pouvons pas savoir à coup sûr ce qui nous
convient le mieux ; c'est une vaine illusion. Nous ne
l'avons jamais su, et nous ne le saurons jamais.

Pour lâcher prise, il suffit simplement de se dire le
matin en se levant : « Que ta volonté soit faite » et non
« Que ma volonté soit faite ». Ou bien, on peut se dire :
« Je ne sais pas ce qu'il va se passer aujourd'hui. C'est
vrai, j'ai planifié ma journée. Je vais aller travailler, je vais

tondre la pelouse, etc. Mais je dois reconnaître que mes projets ne représentent qu'un document provisoire. Il y aura des changements, des orientations auxquelles je n'avais pas pensé, des surprises merveilleuses, ou peut-être effrayantes. Il se peut qu'un événement infléchisse le cours de ma vie. Quoi qu'il en soit, je suis certain que tout cela me conduira vers un mieux-être physique et spirituel. »

● DK

James, un homme plein d'allant atteint de la maladie de Parkinson, a toujours été très actif. Extrêmement généreux envers les autres, il n'a jamais appris à recevoir. Lorsqu'il devint dépendant des autres, il ne trouva plus de raisons de vivre. Ses proches avaient beau lui dire que c'était une joie et un honneur pour eux de prendre soin de lui, il avait le sentiment de n'être qu'une victime. Dans ces conditions, le suicide lui apparut comme la seule solution possible.

Nous avons évoqué ensemble ses tourments et je lui ai dit : « Personne ne peut vous empêcher de mettre fin à vos jours, si c'est là votre souhait. Mais ce qui semble vous poser le plus de problèmes, c'est le sentiment d'avoir perdu votre libre arbitre. Pourtant, ne voyez-vous pas que, si vous pouvez vous tuer, vous pouvez aussi décider de ne pas le faire. Vous pouvez décider d'accepter votre situation présente, et cela peut être un exercice positif de lâcher-prise. Ce n'est pas votre situation qui est "positive", c'est le fait que vous puissiez choisir de lâcher prise afin d'atteindre un but plus élevé. Vous pouvez faire un choix, vous n'êtes pas une victime. »

Sachant que James était un ancien combattant, je lui ai demandé ce qu'il avait fait pendant la guerre.

— J'étais pilote, répondit-il avec fierté.

Je me suis alors servi de cette information :

— James, je comprends que vous ayez besoin de maîtriser votre vie. Mais n'avez-vous pas vécu des expériences en vol où vous avez été obligé de vous soumettre aux décisions d'autrui ?

Il réfléchit un moment, puis répliqua :

— Oui. À plusieurs reprises, j'ai dû obéir à la tour de contrôle. Je savais que les aiguilleurs du ciel avaient une perspective beaucoup plus vaste de la situation, aussi j'étais ravi de m'en remettre à eux.

— Mais alors, pourquoi votre cas aujourd'hui ne s'inscrirait-il pas, lui aussi, dans une réalité beaucoup plus vaste ? Il se peut que cette leçon nous concerne tous, et pas seulement vous. Tout comme le contrôleur aérien s'occupait de tous les avions, et pas seulement du vôtre.

Il m'a semblé avoir compris cette leçon : le lâcher-prise est un choix, et en aucune manière un renoncement.

Il y a une différence importante entre lâcher prise et renoncer purement et simplement. Renoncer, c'est lever les bras au ciel et dire : « Il n'y a plus d'espoir, c'est fini pour moi », quand, par exemple, on reçoit un diagnostic de maladie incurable. Lâcher prise, c'est choisir les traitements les plus adaptés et, s'ils se révèlent inefficaces, accepter son destin, quel qu'il soit. Le renoncement est un refus de la vie, tandis que le lâcher-prise est une acceptation de la vie telle qu'elle est. Être victime d'une maladie, ou tourner le dos à une situation difficile c'est renoncer. Comprendre que l'on a toujours le choix, dans n'importe quelle situation surtout quand on la regarde en face, c'est lâcher prise.

• EKR

Dieu a fait preuve de sagesse en me laissant mes facultés intellectuelles après ma dernière attaque cérébrale. Je n'ai plus l'usage de ma jambe ni de mon bras gauche, mais je peux penser et parler. J'aurais quand même préféré enseigner dans d'autres conditions !

Les malades atteints d'une hémiplégie gauche perdent souvent la faculté de s'exprimer correctement. Mais pas moi : depuis le cou jusqu'au sommet de la tête, je suis intacte. Pourtant, le côté gauche de mon corps est paralysé, et c'est pourquoi je dis que mon attaque cérébrale est paradoxale. Il n'y a pas de répercussions au plan mental, mais ce côté de mon corps, le côté féminin, est sous-développé, car il s'agit de celui qui reçoit. On dit que le rose est une couleur féminine, et ce n'est pas un hasard si je déteste cette couleur ! Mais je m'efforce à présent de l'apprécier.

Je dois apprendre à recevoir, à dire merci mais aussi la patience et l'abandon. Tout au long de ma vie, j'ai donné, donné, mais je n'ai jamais su recevoir. Aujourd'hui, c'est cela, ma leçon : apprendre à recevoir de l'amour, des soins, découvrir à mon tour ce que c'est que d'être materné. J'ai compris que j'avais édifié un grand mur de pierre autour de mon cœur pour me protéger des blessures. Mais ce mur faisait également obstacle à l'amour.

Bon nombre de gens ont du mal à lâcher prise, même dans les circonstances les plus futiles. Nous avons tous connu des gens qui, lors d'une conférence, se sentent obligés d'apporter la contradiction à l'orateur :

« Je *dois* rétablir la vérité ! Ce que vous dites est faux ! »

Ce genre d'individus est incapable de s'asseoir tranquillement pour écouter. Ils ne comprennent pas qu'ils ne sont pas obligés d'être en désaccord, de contredire systématiquement les autres. À l'inverse, ils pourraient donner au conférencier une chance de faire passer son message et, peut-être, de modifier quelque peu leur point de vue. Après la conférence, ils peuvent légitimement être en désaccord avec lui ou décider de ne plus assister à ses exposés. Mais, en portant dès le début la contradiction, ils s'interdisent de lâcher prise et donc de recevoir et d'apprendre.

Ces gens pensent que le simple fait d'écouter un orateur équivaut à perdre une bataille. En réalité, s'ils lui avaient prêté plus d'attention, ils se seraient contentés de s'abandonner brièvement à son point de vue, qu'ils auraient ensuite pu intégrer au leur, étudier plus en profondeur ou rejeter.

Le maître d'hôtel d'un célèbre restaurant connaît bien le phénomène : « Certains clients arrivent et disent "Je voudrais essayer votre célèbre salade César, mais avec de l'huile et du vinaigre naturels", ou bien, "Je prendrais bien du poulet, mais grillé, et sans la sauce". Nos plats et leur présentation sont l'expression de l'originalité de notre cuisine. Si on ne les accepte pas tels quels, on passe à côté du talent prodigieux de notre chef. Je peux comprendre celui qui a déjà goûté un plat et qui demande un peu moins de sauce la fois suivante, ou bien celui qui doit impérativement suivre un régime alimentaire, mais la plupart du temps, ces gens ne nous laissent aucune chance de leur faire apprécier notre cuisine. »

De nos jours, cette tendance à vouloir tout contrôler est généralisée. Nous avons oublié ce que c'est que d'être un étudiant. Nous ne savons plus comment recevoir les idées et les expériences des autres.

Le refus d'accepter des situations contre lesquelles nous ne pouvons rien nous épuise et nous dépossède de notre pouvoir et de notre paix intérieure. Pour les retrouver, il suffirait d'accepter les choses telles qu'elles sont : « Je vais être heureux immédiatement ; pas demain ou dans quinze jours. »

Le refus de lâcher prise équivaut à dire : « Je ne pourrai être heureux que si les circonstances changent. » La conjoncture pourrait en effet être plus favorable, mais elle peut aussi ne jamais changer. Ce qui ferait de nous les victimes de son caractère inéluctable. Dire : « Je n'aurai la paix que si tel ou tel événement se produit » est très réducteur. Les conditions de vie auxquelles vous aspirez sont-elles vraiment les seules qui vous conviennent ? N'y en aurait-il pas d'autres – certaines inconnues de vous – qui pourraient vous satisfaire ?

Je ne dis pas qu'il faille tout accepter passivement. Si vous n'appréciez pas un programme télévisé, changez de chaîne ! Si vous n'aimez pas votre travail, cherchez-en un autre. Faites réparer votre voiture si elle fait un bruit de ferraille. Si une situation vous rend malheureux, faites en sorte d'y mettre un terme.

Je veux parler de ces états de fait que nous considérons comme des obstacles insurmontables à notre bonheur, alors qu'il est impossible de les changer. Si vous avez eu une enfance difficile, vous ne pourrez jamais remonter dans le temps pour en vivre une heureuse. Si vous avez été éconduit par la personne dont vous étiez amoureux, vous ne pourrez jamais la contraindre à vous aimer. Si vous souffrez d'un cancer, vous ne pouvez pas être en même temps guéri.

Accepter la vie telle qu'elle est constitue sans doute le moyen le plus rapide et le plus efficace de tirer les enseignements d'une situation pénible. Vous ne pouvez rien changer à votre enfance malheureuse, mais vous pouvez quand même avoir une existence agréable. Vous ne pourrez jamais forcer quelqu'un à vous aimer, mais vous pouvez cesser de perdre votre temps et votre énergie à vous bercer de douces illusions. Vous ne pouvez pas faire disparaître votre cancer d'un coup de baguette magique, mais cela ne signifie pas que votre vie soit finie.

• DK

Bryan, diabétique, fut hospitalisé pour une infection à la jambe droite. Ce directeur d'entreprise âgé de cinquante ans était à la fois terrorisé et fou de rage parce que les médecins lui avaient dit qu'il faudrait peut-être l'amputer.

Dans un premier temps, je l'ai aidé à éprouver pleinement ses sentiments de peur et de colère, puis à s'en libérer. Dès qu'il eut dépassé ce stade, je lui ai posé cette question : « Pouvez-vous accepter la situation telle qu'elle est ? »

Bryan ne comprit pas tout de suite l'intérêt de cette démarche. Il était même irrité que j'aie pu soulever cette question. J'ai insisté :

— La perspective d'une amputation vous obsède, elle hante vos pensées et vous maintient dans l'angoisse et la colère. Pourquoi ne pas prendre le temps de la réflexion pour comprendre en profondeur votre situation, et ensuite vous en libérer ? Si vous devez perdre votre jambe, vous la perdrez. Le fait que vous y pensiez, ou que vous refusiez d'y penser ne changera rien à l'affaire.

— Alors si j'accepte la possibilité de cette amputation, si je lâche complètement prise, ma jambe sera guérie ?

Je lui ai alors rappelé que le travail spirituel n'a d'autre but que d'approfondir sa vie spirituelle. On ne peut marchander en la matière, on ne peut pas dire : « Si j'évolue suffisamment sur le plan spirituel, vais-je en être récompensé ? » Le fait que Bryan accepte l'idée de perdre sa jambe ne l'aurait pas automatiquement préservé. Mais cette sombre perspective était un démon qui le gardait en otage et le privait de son aptitude à être heureux et à tirer les enseignements de cette épreuve. Elle le terrifiait tellement qu'il était incapable de prendre un peu de recul.

Quand il fut finalement capable de voir la réalité en face, il se demanda ce que serait son quotidien sans sa jambe. Il réalisa alors qu'il pourrait s'en sortir. Il se ferait mettre une prothèse et la vie continuerait. Ayant dépassé la phase du lâcher-prise, il put trouver une certaine paix intérieure. Sa nouvelle attitude favorisa le processus de guérison. Heureusement, sa jambe réagit bien au traitement et fut sauvée. Avec le recul, Bryan dit que le plus stupéfiant dans cette situation atroce fut que l'acceptation du pire lui permit de trouver la paix.

On croit généralement que le bonheur est toujours pour demain. Mais s'il est possible demain, il l'est également aujourd'hui. On peut évoluer même si rien ne change. Accepter la vie telle qu'elle est peut transformer comme par magie une situation donnée. Lâcher prise nous permet de recevoir. Dès que nous cessons de vouloir modifier le cours des choses, l'univers nous donne les moyens d'accomplir notre destinée.

Quel est le bon moment pour lâcher prise ? Dans quelles circonstances ? Nous pouvons le faire à tout moment, dans n'importe quelle situation. À notre naissance, puis à notre mort, nous nous en remettons à une force supérieure. Entre ces deux événements, nous sommes perdus parce que nous l'oublions.

S'il est nécessaire de changer un aspect de votre vie, faites-le. Mais ne cherchez pas à changer des choses contre lesquelles vous ne pouvez rien. C'est dans ces circonstances – où vous avez l'impression de nager à contre-courant – qu'il vous faut abandonner, sinon, ces vains efforts vous consumeront.

Lorsqu'on se sent inquiet et agité, il est temps de lâcher prise.

Lorsque la vie ne s'écoule pas paisiblement, il est temps de lâcher prise.

Lorsqu'on s'efforce de contrôler le moindre aspect de son existence, il est temps de lâcher prise.
Lorsqu'on veut à tout prix changer ce qui ne peut l'être, il est temps de lâcher prise.

Si une transformation vous paraît indispensable, réfléchissez soigneusement à ce qui doit être modifié, et pour quelles raisons. Steve, par exemple, était malheureux dans son travail de comptable parce qu'il rêvait de faire du théâtre. Il était perpétuellement en conflit avec lui-même parce qu'il ne voulait pas abandonner la sécurité d'une carrière toute tracée pour l'instabilité d'une vie d'artiste. Quand il eut finalement accepté l'idée de rester comptable toute sa vie, il apprit qu'une compagnie de théâtre recherchait un directeur financier. Steve obtint le poste et il mène aujourd'hui une carrière très brillante à Broadway.

Accepter la réalité est le plus beau cadeau que l'on puisse se faire. En repassant le film de notre existence nous verrons que la chance nous a souvent souri quand nous avons laissé la vie suivre son cours. Ces événements marquants prennent l'aspect de coïncidences heureuses, comme s'ils s'étaient produits parce que nous étions au bon endroit, au bon moment. C'est comme cela que fonctionnent le lâcher ainsi que la vie : avec subtilité.

Si, comme tant d'autres, vous êtes obsédé par l'idée de changer de vie, réfléchissez à ceci : si vous étiez un fabricant de chaussures, vous ne pourriez rien faire d'autre que façonner des chaussures, c'est une évidence. Mais vous pourriez le faire avec une formidable créativité, dans un style extrêmement original, et vous n'auriez alors aucune raison de faire un autre métier.

Parfois, il est tout à fait justifié de changer de vie, parfois cela ne l'est pas. Voici une petite prière qui pourra vous aider à déterminer le bon moment pour lâcher prise :

La leçon du lâcher-prise

Mon Dieu, donnez-moi la Sérénité
d'accepter les choses que je ne puis changer,
le Courage de changer les choses que je peux,
et la Sagesse d'en connaître la différence.

Il arrive que l'on apprenne la leçon du lâcher-prise de manière tout à fait inattendue ·

« À vingt-sept ans, je suis parti pour le Japon, dit Jeff. C'est un pays fascinant, à la pointe dans de nombreux domaines. Je travaillais sur un immense projet, mais, malheureusement, j'ai eu des problèmes de santé. D'abord, j'ai commencé à perdre l'appétit. Puis, j'ai ressenti une grande fatigue. J'ai pensé que c'était à cause de ma charge de travail, trop lourde. Finalement, j'ai été hospitalisé pour une pneumonie. Je n'étais pas trop inquiet jusqu'à ce que j'apprenne que ce type d'infection était causé par le virus du sida. Grâce au traitement, mon état se stabilisa suffisamment pour que je puisse être rapatrié aux États-Unis.

En partant, je n'avais emporté avec moi que quelques effets dans mon sac à dos. Je laissais derrière moi tout le reste de mes affaires, ainsi que mon ancienne vie. J'avais étudié le milieu des affaires japonais pendant des années. J'avais toujours voulu vivre au là-bas. Lorsque je me suis remis de ma pneumonie, j'ai soudain pris conscience que tous mes rêves s'étaient envolés. Je ne pouvais plus habiter au Japon. Il aurait été trop difficile de me faire soigner correctement dans un pays étranger. Il est déjà assez dur comme ça de se frayer un chemin dans le système de santé américain.

Au début, j'ai eu un sentiment de colère et de frustration. Mais j'ai vite compris que je pouvais quand même faire certains choix et essayer de vivre mon rêve, ce qui était peu réaliste, ou bien je pouvais accepter ma nouvelle vie. M'accrocher à mon ancienne existence aurait été pour moi synonyme d'un énorme stress. Il était temps de lâcher prise. Une vie nouvelle s'ouvrait devant moi.

En renonçant à me battre contre des moulins à vent, j'ai découvert peu à peu de nouveaux horizons. Les avo-cats avec qui j'avais travaillé m'avaient toujours impressionné, et je me suis dit que je pouvais très bien faire ce métier. Les études de droit durent trois ans, mais grâce aux soins médicaux qui m'étaient prodigués, j'avais maintenant tout l'avenir devant moi. Dans ce processus d'abandon, j'ai découvert des aspects de ma personnalité dont je n'avais absolument pas conscience : mon courage et mes facultés d'adaptation. Aujourd'hui, je mène une vie merveilleuse. Et je vois comment, sur un certain plan, le monde est parfait. Je suis ravi d'être de retour aux États-Unis, et tout va pour le mieux. Je n'aurais jamais cru pouvoir mener une telle vie, ici. Quand je pense à toutes les opportunités qui se sont présentées à moi lorsque j'ai accepté de changer de vie, je suis stupéfait. »

Après la dure épreuve qu'il avait subie, Jeff aurait pu éprouver, des années durant, un sentiment de colère et de regrets. Il a choisi une autre solution, celle qui consiste à accepter ce que la vie lui proposait. Il est lui-même surpris de ne pas avoir sombré dans l'amertume :

« Franchement, je me voyais ressasser mon malheur pendant des années et des années. Ce fut donc un véritable don du ciel que d'avoir pu me libérer de mes idées préconçues. Le plus drôle, c'est qu'il y a du vrai dans ces vieux clichés : la vie est belle et bien trop courte, et nous ignorons vraiment la date de notre dernier jour. Trouver le bon côté des choses, y compris dans des situations difficiles, est l'un des enseignements les plus enrichissants que j'ai tirés de cette épreuve. »

13

LA LEÇON DU PARDON

À la fin des années 40, l'Inde, en proie à des violences d'origine religieuses, se préparait à proclamer son indépendance. Un hindou, dont le fils avait été assassiné par des musulmans lors de la guerre civile, alla voir le Mahatma Gandhi et lui dit : « Comment voulez-vous que je pardonne à ces musulmans ? Comment pourrais-je jamais retrouver la paix dans mon cœur avec toute cette haine pour ceux qui ont tué mon fils unique ? »

Gandhi lui suggéra alors d'adopter un orphelin du camp ennemi et de l'élever comme si c'était son propre enfant.

Pour vivre pleinement, il faut savoir pardonner afin de guérir nos blessures, de nous relier aux autres et à nous-mêmes. Nous ne méritions peut-être pas ces coups, mais c'est arrivé et nous ne pouvons rien y changer. En outre, nous avons probablement nous-même blessé d'autres personnes. Le problème n'est pas cette douleur, mais le fait que nous soyons incapables de l'oublier. C'est cela qui perpétue notre souffrance. Nous traversons l'existence en accumulant ces blessures. Personne ne nous a jamais expliqué comment nous en libérer. C'est là que le pardon intervient.

Nous avons le choix : accepter ou refuser de pardonner. Paradoxalement, il y a quelque chose de très égoïste dans cette action, car elle apporte beaucoup plus à la personne blessée qu'à l'offenseur. Les mourants trouvent souvent la paix qui leur avait manqué durant leur existence, parce que la fin de vie est un temps d'abandon. Le pardon est lui aussi un abandon de soi. En refusant de pardonner, on ravive ses vieilles blessures et on nourrit son ressentiment ainsi on devient son propre esclave.

Le pardon a beaucoup à nous offrir, y compris ce sentiment de plénitude dont, selon nous, notre offenseur nous avait privé « pour toujours ». Il nous offre la possibilité de redevenir ce que nous sommes vraiment. Nous méritons tous la chance de prendre un nouveau départ. Cette chance, c'est la magie de pardonner aux autres, ou à nous-même, ce qui nous permet de retrouver la grâce. Nous pourrons ainsi guérir nos blessures et devenir plus forts, tout comme un os brisé devient plus solide après sa guérison.

Les mourants peuvent beaucoup nous apprendre sur le pardon authentique, ils ne vous diront jamais : « J'avais totalement raison et tu étais complètement dans ton tort. Toutefois, animé d'un grand esprit de mansuétude, je t'accorde mon pardon. » Il vous dira plutôt : « Tu as fait des erreurs, mais moi aussi. Qui n'en fait pas ? Mais je ne veux plus te confondre avec tes erreurs, ni être confondu avec les miennes. »

L'expression du pardon rencontre beaucoup d'obstacles. Le plus important d'entre eux est l'idée qu'en le faisant on excuse l'offenseur.

C'est une idée fausse. Le pardon consiste en réalité à

se libérer de la blessure dans son propre intérêt en comprenant que la rancune est synonyme d'insatisfaction et de tourments. Ceux qui ont du mal à pardonner doivent savoir qu'ils seront les seules victimes de leur attitude.

Le pardon n'est pas une démission de ses droits. Il est chanté dans le meilleur sens du terme : nous prenons conscience du mal-être de l'offenseur, nous réalisons qu'il est beaucoup plus que son offense. C'est un être humain, il peut faire des erreurs, et il a lui-même été blessé comme nous tous. En réalité, le pardon est un mouvement de l'âme, dont le but est de nous guérir. Ce ne sont pas les comportements qui méritent notre indulgence mais les personnes.

Le désir de vengeance est un autre obstacle. Rendre coup pour coup ne procure qu'un sentiment provisoire de soulagement ou de satisfaction. Ensuite, on se sent coupable d'avoir fait ce que l'on avait condamné avec tant de force. Pour faire éprouver à notre offenseur la souffrance qu'il nous a infligée, nous le harcelons et, ce faisant, nous ne faisons qu'aggraver nos blessures. Il est tout à fait sain d'en parler, mais, encore une fois, le fait de s'y cramponner finit par être autodestructeur.

Il n'est jamais facile de pardonner. Parfois, il est plus facile d'ignorer le problème, mais on se condamne ainsi à vivre indéfiniment avec cette douleur. Ce n'est souvent que lorsque celle-ci devient intolérable que l'on se décide enfin à pardonner.

L'incapacité d'ouvrir son cœur est une prison. On connaît si bien ce vieux schéma de comportement, il est devenu tellement « confortable », que le pardon apparaît comme un saut dans l'inconnu. Il est souvent plus facile d'accuser quelqu'un que d'essayer de renouer avec lui. En nous focalisant sur ses erreurs, nous évitons d'examiner nos propres défaillances et nos propres problèmes. En pardonnant, nous récupérons le pouvoir de vivre et de grandir au-delà de l'offense qui nous a été faite. Ressasser nos rancunes nous cantonne dans le rôle de perpétuelle victime. Le pardon permet de transcender la blessure. Nous ne sommes pas condamnés à souffrir en permanence des écorchures du passé. Prendre conscience de cela est profondément curatif.

Prétendre proposer une méthode simple et efficace du pardon serait aussi ridicule que de proposer une méthode pour sauver le monde. Il peut être très douloureux, et c'est pourquoi il prend parfois l'aspect d'une mission impossible. Et pourtant, c'est bien grâce à lui que l'on pourra un jour sauver le monde.

Les enfants ont l'habitude de s'excuser quand ils blessent quelqu'un. Chez les adultes, c'est beaucoup plus rare, et quand cela arrive les offensés considèrent souvent que c'est insuffisant. Quand un enfant fait une bêtise, on voit aussitôt sur son visage la peur et la confusion qui l'habitent. Il nous semble humain. Les adultes, eux, ont tendance à assimiler l'offenseur à ce qu'il a fait. Celui-ci n'est plus alors défini que par la souffrance qu'il a causée. La première étape du processus du pardon consiste à considérer à nouveau le fautif comme un être humain : il peut faire des erreurs, se montrer faible, insensible, confus, et il peut souffrir. En d'autres termes, il est exactement comme nous : faillible, fragile, seul et psychologiquement imparfait. C'est une âme qui effectue le voyage de la vie, avec ses hauts et ses bas.

Dès lors que nous avons reconnu son « statut » d'être humain, nous pouvons commencer à lui pardonner et à exprimer notre colère. Nous pouvons libérer cette énergie bloquée en cognant sur un oreiller, en nous confiant à un ami, ou en recourant à toute autre méthode qui nous convienne. Ensuite, nous découvrirons souvent la tristesse, la haine et les blessures qui sous-tendaient cette colère. À

La leçon du pardon

ce stade, il faut laisser ces sentiments s'exprimer. Ensuite – et c'est l'étape la plus difficile – il faut s'en libérer. Le pardon ne concerne pas l'offenseur : ne vous inquiétez pas de lui. S'il a fait ce qu'il a fait, c'est probablement en raison de soucis personnels qui ne concernent que lui. En passant l'éponge, nous trouverons la liberté. Chacun a ses problèmes, mais ceux des autres ne sont pas notre affaire. Notre affaire, c'est notre paix intérieure, notre bonheur.

• DK

   Parfois, le pardon semble impossible, en raison de la gravité de l'acte commis. À ce propos, Elisabeth Mann a beaucoup à nous apprendre sur la tolérance, l'amour, la colère et le pardon.
   Elisabeth a vraiment des raisons d'être en colère. Lorsqu'elle était adolescente, elle et les siens furent raflés par les nazis et expédiés à Auschwitz. Peu après son arrivée au camp, elle demanda à un garde où se trouvait le reste de sa famille. Il désigna alors du doigt la fumée qui sortait d'une énorme cheminée, et dit : « Ils sont là-haut. »
   Après la libération du camp par les soldats alliés, Elisabeth se retrouva au Danemark, où elle devait prendre un train pour la Suède. D'autres rescapés se trouvaient avec elle, mais ses proches avait disparu :
   « On m'a offert une tasse de café... un véritable délice. Plus tard, une infirmière fit entrer dans le local deux femmes et un homme, en les présentant comme des rescapés d'un camp de concentration. J'avais du mal à le croire, car ils avaient des bagages avec eux.

223

Personne n'en avait dans les camps, nous n'avions même pas un seul vêtement de rechange. Ces gens nous posèrent de multiples questions : de quel camp venions-nous, comment étions-nous arrivés ici, etc. Mes compagnons racontèrent alors leur histoire.

Le lendemain matin, le train pour la Suède arriva. Je me suis retrouvée dans un compartiment en compagnie de cinq autres femmes, dont les deux qui nous avaient posé des questions. Il n'y avait pas beaucoup de place, surtout à cause de leurs bagages. Elles se sont assises sur le sol, les trois autres sur la banquette, tandis que je m'installai dans le filet à bagages. Cette nuit-là, j'ai entendu du bruit. En regardant en bas, j'ai vu que les deux femmes avaient sorti d'une valise des photos de soldats SS. Elles se mirent à les déchirer puis jetèrent les morceaux par la fenêtre. Comme vous pouvez l'imaginer, aucun rescapé n'aurait pu, ou voulu, détenir de tels clichés.

Lors d'un arrêt, des inspecteurs de police sont montés dans le train et nous ont posé mille questions. L'un d'eux demanda aux femmes et à l'homme d'où ils venaient, de quel camp, etc. Ils répétèrent alors les récits que leur avaient confiés la veille mes camarades rescapés. J'aurais pu les dénoncer, mais j'étais si heureuse que la guerre soit finie. J'étais convaincue que tout un chacun en avait tiré les leçons. Je me suis dit que ce n'était pas mon rôle de juger ces gens. Si Dieu voulait les punir, il le ferait. Nous sommes arrivés en Suède et je ne les ai plus jamais revus.

En agissant ainsi, je n'ai pas voulu pardonner les crimes de ces gens. J'ai fait cela parce que je pensais que le pardon était du ressort de Dieu, et non du mien. Ce n'était pas mon rôle de décider de leur sort. En pensant à toutes ces personnes qui étaient mortes, à tous les miens, à mon petit frère, à mes parents, comment aurais-je pu dire : "Ce n'est pas grave, cela n'a pas d'importance ?"

Mais ce qui était primordial à mes yeux, c'était de ne pas nourrir un désir de vengeance. Je me souviens, au camp, nous passions devant une boulangerie chaque fois qu'on nous emmenait en ville pour nettoyer les rues. Nous étions en permanence affamés, et cette odeur de pain chaud suscitait en nous des réactions de ce genre : "Quand nous serons libres, nous nous précipiterons dans cette boulangerie et nous mangerons tout le pain." Mais nous n'avons jamais dit que nous tuerions le boulanger. »

Fort heureusement, rares sont ceux qui ont vécu des expériences aussi atroces. Mais il n'en demeure pas moins que certaines choses nous semblent impossibles à pardonner. Dans ce cas, nous pouvons faire comme Elisabeth Mann : nous en remettre à Dieu. Malgré sa jeunesse, son extrême solitude et sa vulnérabilité, elle avait compris que seul Dieu peut s'ériger en juge, si telle est Sa volonté. Même quand on désire réellement pardonner, il est difficile de sauter le pas. Dans ces cas-là, il est bon de demander de l'aide : « Seigneur, j'aimerais pardonner, mais je n'y arrive pas. S'il vous plaît, aidez-moi. »

• EKR

Quelle que soit notre bonne volonté, le pardon reste une tâche très difficile. En réalité, il est sans doute impossible pour un être humain d'oublier complètement tous les torts subis. En ce qui me concerne, il y a des choses que je n'arrive pas à pardonner, et si, au terme de mon existence, je n'ai pas tout pardonné, et bien cela n'aura aucune importance, parce que je ne désire pas mourir en odeur de sainteté.

À l'époque où j'étais très malade et dépendante, des infirmières venaient à mon domicile pour prendre soin de moi. J'avais remarqué qu'elles emportaient chaque jour des sacs poubelle bien remplis. Clouée au lit, je me disais : « Mais il n'y a jamais eu autant de détritus chez moi ! »

Lorsque j'ai voulu éclaircir ce mystère, elles m'ont répondu qu'elles ne faisaient que sortir les ordures. Ce n'est que plus tard, quand j'ai été en mesure de me déplacer, que j'ai découvert le pot aux roses : elles m'avaient dérobé des objets, non seulement des objets de valeur, mais aussi les rares souvenirs qu'il me restait après l'incendie de mon ancienne maison. Si je n'avais pas eu le cœur solide, j'aurais pu en faire une crise cardiaque. Je devrais leur pardonner, mais je n'y tiens pas. Pas encore. Je n'essaie même pas. Manifestement, je n'y suis pas prête.

Paradoxalement, c'est nous-même qui avons le plus besoin d'être pardonnés. On doit se pardonner pour ce que l'on a fait et pour ce que l'on n'a pas fait, et chaque fois que l'on pense avoir commis une erreur.

La leçon du pardon

Il arrive parfois que l'on veuille se pardonner d'une erreur qu'on n'a pas commise. C'est très courant chez les jeunes, qui se sentent coupables de ce qui se passe autour d'eux, la plupart du temps de manière injustifiée.

• DK

Elisabeth Mann se sent aujourd'hui encore coupable d'un événement tragique qui a marqué sa jeunesse.

Quand elle est arrivée à Auschwitz avec sa famille, un garde lui a demandé quel âge avait son frère. Elle lui dit qu'il avait treize ans et ajouta fièrement que selon la tradition juive, il avait fait sa « barmitsva » et était considéré comme un adulte.

Quand elle découvrit que les hommes étaient immédiatement envoyés à la chambre à gaz et que les enfants étaient épargnés, elle se dit que son commentaire avait jeté son frère dans les bras de la mort.

« Je m'en veux de ce que j'ai dit, me confie-t-elle. Peut-être serait-il encore en vie aujourd'hui, si je n'avais pas révélé son âge. Peut-être aurait-il survécu si je n'avais rien dit. J'ai souvent le sentiment de l'avoir envoyé à la mort. »

Aujourd'hui encore, son petit frère lui manque et elle se dit : « Et si... »

Elisabeth doit trouver le moyen de se pardonner à elle-même un acte dont elle n'est pas responsable.

Rares sont ceux qui sont confrontés à des conflits intérieurs aussi insoutenables. Mais le sentiment d'avoir mal agi nous affecte tous quasi quotidiennement. Une bonne façon de se pardonner à soi-même est de réaliser que si l'on a commis telle ou telle erreur, c'est parce que l'on n'avait pas envisagé d'autres solutions. En effet, personne ne peut se dire : « Oh, voilà exactement l'erreur à commettre » ou « Je vais faire ça, comme ça je me sentirai vraiment coupable d'avoir blessé quelqu'un ». Nous pensions agir au mieux quand nous avons commis cette faute, et c'est pourquoi nous devons nous pardonner car nous ne pouvons pas tout savoir. Et même si nous avons délibérément blessé quelqu'un, c'était probablement parce que nous étions mal dans notre peau. Si nous avions pu agir différemment, nous l'aurions sans doute fait.

Il n'est pas d'être humain qui ne fasse des maladresses qui ne blesse malencontreusement autrui, qui ne soit perdu de temps à autre. Si nous étions parfaits, nous ne serions pas sur terre. Et la seule façon d'apprendre à se pardonner soi-même, c'est de faire quelques impairs. Nous avons agi de telle ou telle manière parce que nous sommes des êtres humains. Si nous avons fait quelque chose de tellement horrible que nous ne puissions nous pardonner, alors nous pouvons toujours nous en remettre à Dieu : « Seigneur, je me sens toujours coupable. Pourriez-vous me pardonner et m'aider à trouver le pardon en moi-même ? »

Sachez que c'est un processus continu, et non un acte que l'on accomplit une fois pour toutes. C'est un peu notre « contrat de maintenance » spirituel. Le pardon nous aide à rester en paix et à vivre dans l'amour. Notre seule tâche consiste à essayer d'ouvrir à nouveau notre cœur.

14

LA LEÇON DU BONHEUR

● EKR

Terry, quarante-cinq ans, atteint d'un mal incurable, passait ses derniers jours dans un hospice. Lorsque je l'ai rencontré, il me dit qu'il allait très bien. Intrigué par ce surprenant optimisme, je l'ai interrogé sur sa maladie. Il ne la niait pas. Sa réponse était claire et ancrée dans le réel. Alors, je lui ai demandé :
— Comment vivez-vous avec la perspective de votre mort ? Nous savons tous, sur le plan intellectuel, que nous mourrons un jour, mais dans votre cas, il s'agit d'une réalité presque palpable.
— Je vis très bien avec elle. En fait, je n'ai jamais été aussi heureux qu'aujourd'hui. Si étrange que cela puisse paraître, j'ai été malheureux pendant presque toute mon existence. Je me disais que la vie était comme cela, c'est tout. Mais depuis que je sais que mon temps est compté, je regarde la vie bien en face et j'ai décidé d'en profiter pleinement. J'ai aussi pensé à ce que je veux faire avant de partir. Et, au

229

milieu de toutes ces réflexions, je me suis aperçu que j'étais plus heureux qu'auparavant.

Quand on réalise que la vie n'est pas éternelle, on lui donne un autre sens. Il est alors plus facile d'être heureux car on souhaite vraiment profiter du temps qu'il reste. Ainsi, il n'est pas rare d'entendre des patients en rémission dire qu'ils étaient plus contents quand ils pensaient que leurs jours étaient comptés.

La plupart d'entre nous considèrent le bonheur comme une réaction à un événement, mais c'est en réalité un état d'esprit qui n'a que peu de rapport avec les circonstances extérieures. On croit toujours que l'on sera pleinement heureux lorsqu'on obtiendra ou fera telle ou telle chose, pour s'apercevoir ensuite que le bonheur attendu n'est pas au rendez-vous. Ce n'est un secret pour personne – en tout cas, ce ne devrait pas l'être – qu'un bonheur durable n'est jamais fondé sur un gain à la loterie, sur une belle apparence physique ou sur une opération de rajeunissement. Tout cela n'apporte que des joies éphémères.

Ce qu'il importe de savoir, c'est qu'on nous a donné tout ce dont nous avons besoin pour être heureux, mais que, malencontreusement, nous ne savons pas toujours profiter de ce cadeau. Notre âme, notre esprit et notre cœur ont été idéalement « programmés » pour le bonheur. Chacun de nous est capable de le trouver, il suffit de le chercher au bon endroit.

C'est notre état naturel, mais on nous a tellement habitués depuis notre enfance à être triste que nous trouvons cela presque confortable. Nous sommes si peu habitués au bonheur qu'il nous semble parfois déplacé ou immérité. C'est pourquoi il nous arrive si souvent d'imaginer le pire. Nous devons donc nous « entraîner » faire en sorte que ce sentiment devienne aussi naturel qu'un autre.

Pour cela, il faut accepter l'idée que le bonheur est le but essentiel de notre vie. Ce concept révolte la plupart des gens, pour qui il favorise l'égoïsme et l'indifférence. Une telle résistance est due au fait que nous nous sentons coupables d'être heureux ou de chercher à l'être, alors que tant de gens souffrent autour de nous. Comme quelqu'un avait la franchise de le dire : « Pourquoi devrions-nous être heureux ? »

La réponse est que nous sommes les enfants bénis de Dieu. Nous sommes sur terre pour profiter de toutes les merveilles de l'existence. En outre, sachez que l'on peut donner beaucoup plus aux autres, à ceux qui souffrent, lorsqu'on éprouve ce sentiment. Si vous êtes comblé par la vie, vous serez bien plus enclin à céder un petit peu de votre bonheur à ceux qui ont besoin.

En réalité, les gens heureux sont les moins égocentriques. Ils consacrent spontanément du temps au service d'autrui. Ils sont souvent plus aimables et pardonnent plus facilement que les gens malheureux, souvent égoïstes, tandis que le bonheur accroît notre capacité à donner.

Le vrai bonheur ne dépend pas des circonstances extérieures, car c'est vous qui le déterminez.

Audrey a pris conscience de cela le jour où elle a animé une manifestation au profit des malades atteints de sclérose latérale amyotrophique (SLA). Il faut dire qu'Audrey souffrait elle-même de cette maladie.

C'était la deuxième fois qu'elle s'était portée volontaire pour présenter cet événement. La première, dix ans plus tôt, on venait de lui diagnostiquer cette maladie et elle pouvait espérer vivre encore de nombreuses années. À présent, sa maladie avait progressé de manière spectaculaire et elle savait que c'était la dernière fois qu'elle pourrait assumer une telle tâche :

« Je voulais le faire encore une fois. J'ai tellement appris tout au long de ces années. Il y a dix ans, j'ai eu le sentiment que l'on se servait de moi. Je n'avais pas apprécié de jouer le rôle de la malade de service. La deuxième fois, j'étais plus âgée et plus mûre. Au début, je m'étais montrée très naïve. Il y avait eu des désaccords, des conflits de personnes, beaucoup de merdes, quoi. Je m'étais juré de faire mieux la prochaine fois. Mais quand nous avons commencé à préparer la manifestation, les mêmes problèmes ont resurgi. Je ne l'ai pas compris. J'en ai pleuré. Je n'avais fait aucun progrès : dix ans plus tard, je me retrouvais avec les mêmes difficultés !

Je m'en voulais énormément. Moi qui croyais avoir grandi et beaucoup évolué... Et puis la vérité m'est apparue brusquement : j'avais bel et bien changé, mais les circonstances étaient restées les mêmes. Comment avais-je pu penser qu'il n'y aurait pas de soucis ? C'était irréaliste. Les problèmes n'avaient pas disparu, mais je pouvais à présent les aborder différemment. C'était ça le défi qu'il me fallait relever. Cela faisait toute la différence. Dès que j'ai cessé de vouloir changer le cours des choses, tout a été plus facile. Je suis devenue plus heureuse et la manifestation a été une merveilleuse réussite. »

Le bonheur ne dépend pas des événements de notre vie, mais de la manière dont nous les percevons et interprétons, ce qui est déterminé par notre engagement. C'est là que l'équilibre se fait. Préférons-nous voir le pire ou le meilleur chez autrui ou dans la vie ? Nos choix déterminent notre devenir. En considérant notre passé sous un mauvais jour, en le croyant dépourvu de sens, nous semons les graines d'un avenir qui lui ressemblera comme deux gouttes d'eau. C'est pour cela que nous assimilons le passé à un fardeau, parce que c'est quelque chose qui est lourd à porter. C'est cette partie de nous-même qui continue à nous peser et qui ralentit notre progression vers la félicité.

Le bonheur est notre état naturel, mais, en voulant à tout prix modifier le cours des choses, nous ne sommes plus en mesure de l'atteindre.

Pensez à ce conseil que nous avons tous entendu : « Fais un effort, voyons ! Tu as tout pour être heureux. » Les efforts contrarient le sentiment. On devient heureux progressivement, et non pas en apprenant je ne sais quelle technique. Le bonheur naît de l'expérience de moments joyeux, et sans cesse plus nombreux. Un jour, vous réalisez que vous avez eu cinq minutes de bonheur, ensuite, sans même vous en rendre compte, vous aurez vécu une heure, puis une soirée, et plus tard une journée entière.

Établir des comparaisons est probablement le meilleur moyen d'être malheureux. Quelle que soit notre situation dans la vie, nous serons toujours moins bien lotis qu'un autre. La personne la plus riche du monde n'est pas la plus belle. Celle-ci n'est pas la plus musclée, qui elle-même n'a pas fait le meilleur mariage, etc. En poursuivant un peu dans cette voie-là, on en arrive à considérer que son existence est absolument misérable. Il n'est même pas nécessaire de se comparer aux autres : on obtiendra des résultats tout aussi dévastateurs en confrontant son présent et son passé. Le bonheur se manifeste lorsque l'on s'accepte tel que l'on est, aujourd'hui, sans examiner aux autres, sans se référer au passé ou à un futur redouté.

« Pourquoi moi ? » Cette réaction bien connue, qui surgit dès que nous nous croyons victimes des circonstances, nous enferme dans le malheur parce qu'elle nous pousse à voir dans tout événement pénible un affront personnel. Cette attitude engendre une impression de persécution. Le deuil et la guérison, le soleil et la pluie – ces aspects de la vie ne sont pas pour ou contre nous. Quand quelqu'un nous blesse, ce n'est souvent pas nous qui étions visés. Prendre conscience de cela nous aide à nous libérer du sentiment de persécution. Gardez à l'esprit que ce sont les pensées qui déterminent les sentiments et le vécu, et non l'inverse. Vous n'êtes pas le souffre-douleur du monde.

Nous sommes prisonniers du « quand ». Nous croyons que notre bonheur dépend d'événements futurs : quand je commencerai ce travail, quand je trouverai la personne idéale, quand les enfants seront grands. Nous sommes généralement très déçus lorsque nous nous apercevons que nos espoirs étaient illusoires, alors nous choisissons une nouvelle série de « quand » : quand j'aurai de l'ancienneté, quand nous aurons notre premier enfant, quand les enfants iront à l'université. Un jour ou l'autre, on se lasse de ce petit jeu. Il faut choisir le bonheur de préférence aux « quand ». « Quand », c'est maintenant. Le bonheur est tout aussi possible dans les circonstances actuelles qu'il le sera demain.

Nous ne voyons pas toujours la réalité telle qu'elle est. Nous préférons nous focaliser sur ce qu'elle devrait être, selon nous. En projetant nos désirs dans la réalité extérieure, nous la refusons, nous ne percevons que des illusions. Voir la réalité telle qu'elle est, c'est avoir conscience, quelles que soient les circonstances, que l'univers avance dans la bonne direction. Ainsi, que nous le voulions ou non, notre destinée ne dévie jamais de sa route. Quoi qu'il advienne dans notre vie, le monde est programmé pour que nous tirions les enseignements dont nous avons besoin. Il est conçu pour nous conduire vers le bonheur, et non vers le malheur, même quand la situation semble désespérée. Il n'est aucun problème que Dieu ne puisse résoudre. Il en est de même pour nous.

La vie nous confronte à toutes sortes de situations paradoxales. Mike, trente et un ans, allait de temps à autre voir son père, Howard, âgé de soixante-neuf ans, qui souffrait d'un cancer du côlon. Les médecins réservaient leurs pronostics car la maladie traînait en longueur. Les visites de Mike étaient brèves et peu fréquentes. C'était un homme charmant, mais il y avait entre lui et son père un grand nombre de conflits non résolus. En outre, il ne s'entendait pas avec sa belle-mère.

Un jour, Mike alla chez son père en rentrant du travail, mais celui-ci était absent. Son oncle Walter, qui se trouvait là, lui dit : « Entre, on va l'attendre ensemble. Il est allé voir son médecin. Il va bientôt revenir. »

Assis dans le séjour de son père, Mike ne tenait pas en place et regardait sans cesse sa montre. Cinq minutes passèrent, puis dix, puis vingt. Finalement, il appela un ami et lui dit : « J'attends mon père encore dix minutes, et puis je lui laisserai un message. J'ai fait mon devoir, je suis venu le voir. Ce n'est pas de ma faute s'il n'est pas là. »

Walter, qui mangeait un morceau dans la cuisine, surprit la conversation. Il s'en excusa auprès de son neveu, puis lui demanda s'il pouvait lui donner un conseil.

— Bien sûr, répondit Mike. Pourquoi pas.

— Mon père – ton grand-père – est mort quand j'avais une trentaine d'années, comme toi aujourd'hui. J'ai maintenant soixante-dix-sept ans, et ça fait plus de quarante ans qu'il est décédé. À dire vrai, c'était un sale bonhomme. J'ai éprouvé des sentiments mitigés après sa mort. Aujourd'hui, avec le recul, j'ai pris conscience d'un des paradoxes de l'existence ; la vie est longue mais le temps nous manque. Ce n'est que vingt ans après sa disparition que j'ai commencé à réaliser combien j'aurais souhaité passer plus de moments avec lui. Je n'avais pas compris, de son vivant, que si ma vie était longue, son temps à lui était compté. Je sais ce que tu ressens vis-à-vis de ton père. C'est mon frère, et il n'est pas commode, c'est le moins qu'on puisse dire. Ta belle-mère n'est pas un cadeau non plus. Il est possible que tu ne puisses jamais régler tes conflits avec lui. Mais je veux juste que tu prennes conscience que si tu as tout le temps devant toi pour résoudre ces différends ton père, lui, avec son cancer, n'en n'a sans doute plus pour très longtemps.

Ces mots furent une révélation pour Mike. Il réalisa que, s'il continuait ainsi, il pourrait en vouloir à son père pendant les cinquante années suivantes. Il prit la décision de passer plus de moments avec lui, pas nécessairement pour régler tous leurs désaccords, mais surtout pour profiter du temps qu'il leur restait.

Nous pensons que nous serons heureux quand les circonstances seront plus favorables. Nous recherchons l'équilibre dans notre vie, mais celui auquel nous aspirons est en réalité un profond déséquilibre. On ne peut concevoir le bien sans le mal, la lumière sans l'obscurité, le jour sans la nuit, l'aube sans le crépuscule, ou la perfection sans l'imperfection. Et nous devons vivre au milieu de ces contraires, de ces paradoxes.

Nous sommes nous-même pétris de contradictions. D'un côté, nous cherchons sans cesse à nous améliorer, de l'autre, nous nous efforçons de nous accepter tels que nous sommes. Nous essayons d'accepter la réalité de la condition humaine, tout en sachant que nous sommes aussi des êtres spirituels. Nous souffrons, mais nous pouvons dépasser notre douleur. Le deuil nous accable, mais nous croyons en l'amour éternel. La vie nous semble un fait acquis, pourtant nous savons qu'elle ne dure pas. Nous vivons dans des sociétés instables, où alternent la pénurie et l'abondance, le grandiose et le mesquin. Si nous sommes capables d'accepter ce monde composé de contraires, nous serons plus heureux. Notre univers est toujours en équilibre, même si cela n'est pas évident pour nous.

Pour s'accorder à cet équilibre, il est nécessaire de comprendre que la vie ne se résume pas aux grands événements de l'existence : promotions, mariage, retraite, etc. Elle se déroule aussi entre ces grandes occasions. Nous tirons la plupart des enseignements dont nous avons besoin des petits faits de la vie.

● EKR

Depuis ma dernière attaque cérébrale, ma vie se résume à ceci : exister. Si les choses doivent continuer ainsi, j'espère mourir bientôt. Comme je l'ai déjà dit, j'ai souvent l'impression d'être comme un avion bloqué sur une piste d'envol. J'aimerais revenir dans le hall de l'aéroport – c'est-à-dire aller mieux – ou bien décoller enfin vers l'autre monde. Si je pouvais choisir, je préférerais vivre, mais, pour cela, il faudrait que je puisse marcher, jardiner à nouveau – bref, que je puisse faire tout ce que j'aime. Dans ces conditions, oui, je veux vivre.

Pour le moment, j'existe, je ne vis pas. Mais même dans cette pénible situation, j'ai des petits moments de bonheur. Je suis heureuse quand mes enfants viennent me voir, et particulièrement quand je peux jouer avec Sylvia, ma petite-fille. Anna, la femme qui prend soin de moi, m'apporte aussi des instants de bonheur, car elle sait me faire rire. Ces petits moments me permettent seulement de supporter la vie.

• DK

La découverte du vaccin contre la poliomyélite par Jonas Salk, en 1950, marque indéniablement un grand tournant dans l'histoire. À l'époque, on lui demanda s'il envisageait de protéger sa découverte par un brevet. Ce faisant, il serait devenu l'un des hommes les plus riches du monde. Voici quelle fut sa réponse : « Je ne peux pas plus breveter ce vaccin que le soleil, car ni l'un ni l'autre ne m'appartiennent. »
Certains pourraient réagir ainsi : « Oh, quel grand sacrifice, quelle noble attitude ! C'est cela qui fait la grandeur de la vie. Si seulement je pouvais faire preuve d'autant de noblesse et de sagesse, mon existence aurait un sens profond. Je me sentirais puissant et heureux. »
Nous avons tendance à attendre ces grands moments pour exister vraiment. J'ai participé à un groupe de travail en compagnie du Dr Salk dans les années 80. Alors que nous abordions des problèmes de peu d'importance, j'ai constaté à quel point il s'intéressait à la moindre question, qu'il traitait avec passion et grand soin. Ainsi, les moindres aspects de la vie lui fournissaient l'occasion de s'ouvrir les plus vastes horizons. Dans l'ordinaire, il trouvait l'exceptionnel.

Les aspects négatifs de notre personnalité représentent pour nous un très grand paradoxe. Nous essayons de les éliminer, mais ces tentatives sont vaines et illusoires. Il nous faut trouver un équilibre entre nos propres forces contraires, ce qui est difficile mais cette recherche fait partie de la vie. Si nous pouvions concevoir cet exercice comme quelque chose d'aussi naturel que l'alternance du jour et de la nuit, nous en tirerions plus de satisfaction que si nous refusions d'envisager l'existence de la nuit. La vie est traversée d'orages, mais ceux-ci passent. De même que les jours alternent avec les nuits, que l'orage fait place au beau temps, nous oscillons d'une extrémité à l'autre sur le pendule de la vie. Nous faisons l'expérience du bon et du mauvais, du jour et de la nuit, du yin et du yang. C'est ainsi que nous sont délivrés les enseignements dont nous avons besoin.

Nous vivons au milieu de ces paradoxes, soumis à de nombreux tiraillements. S'il est vrai que le bonheur ne dépend pas des circonstances extérieures, nous sommes évidemment affectés par ce qui se passe autour de nous. Il serait ridicule de dire à une personne qui traverse une terrible épreuve qu'elle ne devrait pas en être affectée. Cela lui porterait un tort considérable. Toutefois, il arrive parfois que de rudes épreuves aient des conséquences très favorables. Le soleil triomphe de l'obscurité et, au milieu de la mort, nous découvrons parfois la vie.

Dans notre quête du bonheur, nous devons à la fois apprendre et désapprendre, entraîner notre esprit à réfléchir de manière totalement différente de ce que l'on nous a inculqué. Il faut désapprendre à penser négativement. Entraînez-vous tout le temps à être heureux, surtout dans des circonstances difficiles. La prochaine fois que quelqu'un vous mettra en colère, entraînez-vous au bonheur. Partagez ce moment avec cette personne, écoutez ce qu'elle a à dire, il y a sans doute quelque chose d'intéressant dans ses propos. Mais efforcez-vous de garder la distance.

Examinez vos schémas de comportement. Essayez de déterminer ceux qui vous rendent heureux, et ceux qui vous plongent dans la tristesse. Ensuite, modifiez-les en conséquence. Le sentiment de jalousie vous rend-il heureux ? Est-ce que vous vous sentez bien après avoir insulté ou durement critiqué quelqu'un ? Comment vous trouvez-vous après avoir fait montre de gratitude ou de bonté ?

Quand vous êtes pris dans un embouteillage, au lieu de jurer, regardez autour de vous et vous constaterez que tout le monde est dans la même situation. Pensez à ce que ressentent les autres. Soyez bon envers eux. Manifestez votre bonté de manière anonyme, par exemple, ayez un geste de compassion envers quelqu'un sans le dire à personne. Vous atteindrez un niveau supérieur de bonheur.

• DK

Lors d'un voyage en Égypte, je me suis retrouvé devant un ancien temple dédié à la guérison. J'avais une heure de libre avant de rencontrer un ami et je ne savais que faire. En désespoir de cause, je me suis assis au pied de ce temple pour observer les gens qui venaient le visiter. J'ai commencé à observer leur visage, tandis qu'ils lisaient une pancarte décrivant le monument et ses pouvoirs curatifs. Je me demandais quelle sorte de guérison ces gens étaient venus chercher ici. Soudain, une pensée m'a traversé l'esprit : « Et si, au lieu de t'ennuyer ferme pendant une heure, tu priais pour chaque personne qui pénètre dans ce temple ? Je passai immédiatement à la pratique, en essayant de deviner les besoins de chacun. J'ai prié pour que ces gens retrouvent leur plénitude, leur force, leur beauté intérieure, leur originalité, leur capacité d'aimer, et leur sagesse. J'ai prié pour qu'ils guérissent de leur passé et pour qu'ils réussissent leur avenir. Je me suis alors rendu compte que je souhaitais la même chose pour moi-même. L'instant d'après, mon ami arrivait. Cette heure avait passé comme par enchantement et j'étais stupéfié par le sentiment de bonheur et d'émerveillement qui m'habitait.

Chacun trouve le bonheur à sa manière. Les réponses de la vie sont généralement simples. La meilleure preuve en est l'histoire de Patricia, une charmante dame âgée de plus de quatre-vingts ans. Elle semble comblée par la vie, l'incarnation du bonheur. Un jour, quelqu'un lui a demandé : « Êtes-vous aussi comblée que vous le paraissez ? »

Elle sourit, puis répondit : « J'ai eu une belle vie, c'est pour cela que je suis heureuse. J'ai appris, il y a des années de cela, à faire dans la vie les choix qui me conviennent. Je sais que cela semble un peu trop simple, mais c'est ainsi. Notre existence est jalonnée de nombreuses expériences. Chaque fois que j'en vivais une, j'essayais de m'en souvenir, qu'elle ait été bonne ou mauvaise. J'ai appris ainsi à sélectionner les bonnes activités. Il m'est souvent arrivé de renoncer à une idée parce que j'avais le sentiment qu'elle me rendrait malheureuse. Et c'est comme cela que j'ai fini par ne choisir que ce qui m'apportait du bonheur. Faites des choix qui favoriseront votre bien-être, qui répandront la joie autour de vous, qui seront durables et susciteront votre fierté. Ce faisant, vous aurez choisi l'amour, la vie et le bonheur. C'est aussi simple que cela. »

LA DERNIÈRE LEÇON

Récemment, nous discutions avec une vieille amie. À notre grand étonnement, cette femme de quarante-trois ans, jolie et brillante, se plaignait d'être malheureuse.

Elle nous révéla qu'elle n'aimait pas son travail, ce qui nous surprit beaucoup. Son parcours remarquable – médecin renommé, elle était également professeur de médecine dans une prestigieuse université – ne lui suffisait apparemment pas. Nous lui avons fait part de notre étonnement :

— Mais ta carrière est absolument épatante. As-tu un problème particulier ?

— Non, je ne me sens pas heureuse dans mes activités professionnelles, c'est tout.

Puis elle nous dit qu'elle avait le sentiment d'être peu utile à la société. Nous lui avons alors rappelé qu'elle travaillait chaque vendredi bénévolement dans un dispensaire, qu'elle enseignait et donnait gratuitement des conférences chaque fois qu'elle le pouvait, et qu'elle versait généreusement des fonds pour des œuvres de bienfaisance.

« C'est vrai, mais, pour moi, c'est insuffisant », nous a-t-elle répondu.

Quand elle nous a révélé qu'elle envisageait de subir une intervention de chirurgie esthétique, nous fûmes atterrés. « Juste un lifting, un implant dans le menton et un peu de collagène », nous dit-elle.

Il n'y a rien de répréhensible à recourir à cette pratique, mais nous étions assis en face d'une très belle femme qui n'avait pas même une ride.

Finalement, elle nous demanda notre avis. Nous nous sommes regardés, déconcertés : comment notre amie pouvait-elle avoir une aussi piètre image d'elle-même ? Cette femme – heureuse en ménage, intelligente, brillante, belle, en bonne santé, respectée de tous – semblait pourvue de tous les dons. Pourtant, elle avait le sentiment de ne pas en faire assez et de n'être pas assez jolie. Peut-être fallait-il qu'elle recherche en elle, et non à l'extérieur, les raisons de son problème. Si elle était incapable de prendre la mesure de sa réussite, pourquoi le pourrait-elle si elle réussissait encore mieux ? Si elle n'appréciait pas maintenant sa beauté, pourquoi l'apprécierait-elle après un lifting ? Si elle ne se trouvait pas suffisamment charitable, pourquoi en serait-il autrement, si elle se montrait encore plus généreuse ? Changer son mode de vie ne servirait à rien : elle devait seulement prendre conscience qu'elle était d'ores et déjà un être merveilleux et profondément généreux.

Comme cette femme, la plupart des gens ont reçu tout ce dont ils avaient besoin pour réussir leur vie. Son cas constitue un bon exemple, parce qu'on peut difficilement imaginer une situation plus enviable que la sienne. La plupart des gens ont tout ce qu'il faut pour être heureux, et pourtant ils ne le sont pas. Nous ne sommes pas satisfaits de nos réalisations, grandes ou petites. Nous n'aimons pas notre apparence. Mais la vérité, c'est que l'on se voit tel que l'on s'imagine, beau ou laid. C'est la connaissance de notre être profond qui nous fait défaut. On nous a donné tout ce dont nous avons besoin pour vivre une existence riche, pleine de sens et heureuse. Le problème, c'est que nous n'avons pas conscience de nos propres dons, de notre propre bonté.

En thérapie, les gens font souvent peu de cas de leur altruisme, parfois même ils la nient complètement. Certains, parmi les plus généreux et secourables, semblent inconscients de l'impact qu'ils ont sur la société. Qu'ils soient présidents d'œuvres de bienfaisance, membres du clergé, ou qu'ils travaillent sans relâche pour prévenir l'intolérance, ces gens paraissent malheureusement inconscients de leur bonté. Il semble qu'il leur manque la faculté de découvrir la réalité de leur être.

Nous racontons souvent l'histoire suivante à ces personnes : il était une fois un homme au cœur pur qui faisait constamment le bien autour de lui. Il commettait aussi des erreurs, mais cela n'avait pas d'importance, non seulement parce qu'il faisait des choses merveilleuses, mais aussi parce qu'il tirait des enseignements de ses faux pas. Malheureusement, il avait tellement conscience de ses bonnes actions qu'il devint imbu de lui-même.

Dieu jugea qu'un homme bon pouvait évoluer positivement malgré ses erreurs, mais qu'un homme orgueilleux et trop fier ne pourrait jamais trouver le bonheur. Aussi, il retira à cet homme la faculté de se rendre compte de ses bonnes actions, en prévoyant de la lui restituer lorsqu'il aurait achevé son œuvre ici-bas. L'homme continua à faire le bien autour de lui, et tout le monde l'appréciait pour cela, mais il ne se rendait pas compte des bienfaits qu'il prodiguait. Au terme de son existence, Dieu lui montra tout le bien qu'il avait fait.

Souvent, nous ne prenons conscience de notre bonté qu'à la fin de notre existence. Nous sommes sur terre pour découvrir notre générosité, notre valeur et le miracle de la vie.

Du début à la fin, la vie est une école dont les examens sont les difficultés que nous rencontrons. Dès lors que nous avons appris et enseigné tout ce que nous devions, nous retournons chez nous.

Il est parfois difficile de comprendre le bien-fondé d'une leçon. Il est difficile de saisir, par exemple, qu'un enfant qui meurt à l'âge de deux ans soit venu ici-bas pour enseigner à ses parents la compassion et l'amour. Il arrive aussi que nous ne sachions jamais quels enseignements nous étions supposés recevoir. Il serait de toute façon impossible de les maîtriser tous parfaitement, et il y a sans le moindre doute des démons que nous ne tuerons pas durant cette vie-ci. Parfois, la non-maîtrise d'une leçon est la leçon elle-même. Il est facile de critiquer celui qui, selon nous, n'aurait pas assimilé la leçon du pardon avant de mourir. Mais il se peut qu'il ait retenu autre chose, de plus important pour lui, ou qu'il ait délibérément choisi de ne pas apprendre cette leçon. Qu'en savons-nous ? Il se peut même qu'il ait dû l'intégrer sans avoir à pardonner. C'est peut-être vous qui deviez découvrir ce qu'est le pardon en observant son comportement. Nous sommes ici pour apprendre, mais aussi pour enseigner.

Ceux dont l'existence n'est apparemment qu'une suite d'épreuves douloureuses pourraient se demander pourquoi on leur a imposé tant d'« examens », pourquoi Dieu s'est montré aussi impitoyable envers eux. Traverser de dures épreuves, c'est être comme ces galets polis, arrondis et aplatis par le frottement que la mer jette sur les rivages. Ces gens en ressortent plus riches et purifiés que jamais. Ils sont alors prêts à relever des défis encore plus difficiles, à découvrir une vie plus vaste. Leurs cauchemars se transforment alors en bénédictions. Si l'on avait protégé des ouragans les terrains où se sont creusés les canyons, on ne pourrait pas contempler ces paysages fantastiques que l'érosion a sculptés au fil des siècles. C'est peut-être pour cela que tant de patients nous ont dit que, si on leur en donnait le choix, ils préféreraient revivre leur terrible maladie, en raison des formidables enseignements qu'elle leur a apportés.

De multiples manières, le deuil nous montre ce qui est précieux, tandis que l'amour nous révèle la nature de notre être profond. La relation à l'autre nous procure de merveilleuses occasions de grandir. La peur, la colère, la culpabilité, la patience et même le temps deviennent nos plus grands maîtres. Il est important de savoir qui l'on est dans cette vie-ci. En grandissant, en accédant à des plans supérieurs de conscience, notre plus grande peur, celle de la mort, paraît de moins en moins inquiétante. Voici ce qu'en disait Michel Ange : « Si la vie nous semble agréable, alors il devrait en être de même pour la mort, car elle est l'œuvre du même maître. » En d'autres termes, le grand « artiste » qui nous a donné la vie, le bonheur et l'amour, n'aurait pas pu faire de la mort une expérience horrible. On pourrait dire : « La fin n'est qu'un nouveau commencement. »

Au début de ce livre, Michel Ange nous a expliqué que ses œuvres magnifiques préexistaient à l'intérieur des pierres. Il n'avait plus qu'à tailler le bloc de marbre pour découvrir ce qui s'était toujours trouvé là. Vous faites la même chose avec les leçons de la vie : vous sortez peu à peu de sa gangue l'être merveilleux qui se trouve en vous.

Les prières exaucées sont le plus beau cadeau de Dieu, mais celles qui ne le sont pas peuvent aussi être bénéfiques. Au terme de notre existence, l'expérience acquise nous permet d'accepter plus facilement la perspective de notre mort. Nous devenons aussi davantage conscients de la vie qui nous entoure. En écrivant ce livre, nous avons nous-mêmes continué à apprendre des leçons. Nous ne les avons pas toutes assimilées ; si cela avait été le cas, nous ne serions plus ici. On ne peut enseigner si l'on n'apprend pas en même temps.

Il est difficile de se confronter à la mort avant d'y être contraint, mais elle est l'essence même de la vie. Nous devons prendre pour maîtres ceux qui l'ont côtoyée.

Au terme de leur existence, les gens changent énormément. Nous avons écrit ce livre pour offrir les enseignements de la fin de vie à ceux qui disposent encore de beaucoup de temps devant eux pour introduire les changements nécessaires dans leur existence et profiter des bienfaits qui en résulteront.

Une des leçons les plus surprenantes que nous délivrent nos maîtres est que la vie ne s'achève pas avec le diagnostic d'une maladie incurable – en fait, c'est dans ces circonstances qu'elle commence vraiment, car lorsqu'on reconnaît l'imminence de sa propre mort, on constate aussi la réalité de sa vie. On réalise que l'on est toujours vivant, et que l'on n'a que cette vie. La principale leçon que les mourants nous enseignent est de profiter pleinement de chaque jour.

Quand, pour la dernière fois, avez-vous vraiment contemplé la mer ? Ou bien respiré le parfum de l'aube ? Ou marché pieds nus dans l'herbe ? Ou encore admiré un ciel céruléen ? Ce sont là des expériences que nous ne vivrons peut-être jamais plus. Il est toujours très instructif d'écouter les mourants dire qu'ils souhaitent juste contempler une dernière fois les étoiles ou l'océan. Combien d'entre nous vivent au bord de la mer sans jamais prendre le temps de la regarder ? Nous vivons sous les constellations, mais levons-nous les yeux pour les contempler ? Faisons-nous vraiment l'effort de goûter à la vie ? Sommes-nous capables de découvrir l'extraordinaire, surtout dans l'ordinaire ?

Un adage dit que chaque naissance invite Dieu à perpétuer le monde. De la même manière, chaque fois que vous vous réveillez, le matin, c'est un autre jour de vie qui vous est offert. Quand, pour la dernière fois, avez-vous pleinement profité de ce jour-là ?

Vous n'aurez pas d'autre existence semblable à celle-ci. Vous ne vivrez jamais plus les mêmes expériences, dans le contexte qui a été le vôtre, avec ces parents, ces enfants et ces amis. Vous ne verrez jamais plus la terre et ses merveilles telles que vous les avez vues cette fois-ci. N'attendez pas pour contempler une dernière fois la mer, le ciel, les étoiles ou un être cher. Faites-le maintenant.

Remerciements

À Joseph, sans qui je n'aurais jamais pu écrire un autre livre.

À Anna, qui m'a permis de demeurer chez moi au lieu de séjourner dans un établissement de soins prolongés.

À mes enfants, Barbara et Kenneth, qui me donnent la force de continuer à lutter.

Elisabeth

Chère Elisabeth, je tiens avant tout à vous remercier du fond du cœur de m'avoir donné le privilège de co-écrire ce livre avec vous. Votre sagesse, votre authenticité et votre amitié m'ont permis de vivre une des plus merveilleuses expériences de mon existence. Je tiens également à exprimer ma gratitude envers Al Lowman pour avoir cru en l'importance de ce travail. Vos conseils, votre soutien et votre amitié ont été un véritable don du ciel.

J'adresse mes remerciements à Caroline Sutton de Simon & Schuster pour son discernement, sa sollicitude et ses incomparables talents éditoriaux. Un grand merci

Leçons de vie

également à Elaine Chaisson, Ph. D., B.G. Dilworth, Barry Fox, Linda Hewitt, Christopher Landon, Marianne Williamson, Charlotte Patton, Berry Perkins, Teri Ritter, R.N., Jaye Taylor, James Thommes, M.D. et Steve Uribe, M.F.T., qui, chacun à sa manière, ont contribué à la réalisation de ce livre.

David

Table des matières

Un message d'Elisabeth 9
Un message de David 11
Note à l'attention du lecteur 15

1. La leçon de l'authenticité 17
2. La leçon de l'amour 37
3. La leçon de la relation à l'autre 61
4. La leçon du deuil 79
5. La leçon du pouvoir 103
6. La leçon de la culpabilité 115
7. La leçon du temps 129
8. La leçon de la peur 143
9. La leçon de la colère 161
10. La leçon du jeu 175
11. La leçon de la patience 191
12. La leçon du lâcher-prise 203
13. La leçon du pardon 219
14. La leçon du bonheur 229

La dernière leçon 243
Remerciements 251

Ce volume a été composé
par Nord Compo
et achevé d'imprimer en septembre 2002
*par **Bussière Camedan Imprimeries***
à Saint-Amand-Montrond (Cher)

N° d'édition : 31597. — N° d'impression : 024080/4.
Dépôt légal : février 2002.

Imprimé en France